D0582449

SCIENCE FICTION

Herausgegeben
von Wolfgang Jeschke

DETLEV P. ADLER

BIS ZUM ENDE
ALLER HOFFNUNG

Science Fiction Roman

Originalausgabe

WILHELM HEYNE VERLAG
MÜNCHEN

HEYNE SCIENCE FICTION & FANTASY
Band 06/4248

Redaktion: Friedel Wahren
Copyright © 1985
by Wilhelm Heyne Verlag GmbH & Co. KG, München
Printed in Germany 1985
Umschlagbild: Pete Lyon
Umschlaggestaltung: Atelier Ingrid Schütz, München
Satz: Schaber, Wels
Druck und Bindung: Elsnerdruck, Berlin

ISBN 3-453-31229-5

ERSTES BUCH

Es war dunkel.

Nur einzelne rauchdurchzogene Lichtbahnen durchschnitten den Raum. Leise erklang elektronische Musik.

Genußvoll zog der blonde Junge den Rauch durch Mund und Nase ein. Er lag auf einer alten Matratze und sah versonnen den blaugrauen Wolken nach, die sich träge ihren Weg an den morschen, verfaulten Holzlatten suchten, aus denen die Wände der kleinen Baracke bestanden.

Peter Hansson fühlte sich gut. Die Musik, der aromatische, süßliche Rauch und die verwirrend bunten Lichtstrahlen wirkten auf ihn ein. Er fühlte sich leicht, aller Sorgen enthoben. Es war ein sehr schönes Gefühl. Und noch konnte er nicht an den Zustand denken, der nach dieser Euphorie kommen mußte und der unweigerlich immer wieder kam. Höchstens eine halbe Stunde würde es dauern, ehe ihn dieses Gefühl der Leere und der Übelkeit, die gar keine war, überkommen würde. Dieses Gefühl, das er so sehr fürchtete und doch immer wieder in Kauf nahm, wenn er dafür eine oder zwei Stunden voller Zufriedenheit und Glück erleben durfte. Noch aber war es nicht soweit.

Seine Gedanken schweiften ab, irgendwohin, wo es warm war, wo immer die Sonne schien, in ein Land mit immergrünen Bäumen und Menschen, die ruhig und zufrieden leben konnten. Irgendwann und irgendwo hatte er schon einmal davon gelesen – das mußte aber schon sehr lange her sein. Früher vielleicht, vor acht oder zehn Jahren, als es noch eine Menge Bücher und Zeitungen gegeben hatte. Außer wissenschaftlichen Büchern und einer Tageszeitung, dem *Welt-Echo*, gab es schon lange nichts mehr zu lesen.

Die Stille, die plötzlich in dem Raum herrschte, riß ihn aus seinen Gedanken.

Während er noch langsam in die Wirklichkeit zurückfand, breitete sich in ihm bereits das Gefühl aus, das er so sehr fürchtete.

Sein Magen schien rebellieren zu wollen, und während er sich umsah, erschien ihm alles plötzlich so schmutzig, unvollkommen und verdreckt. Der Rauch, der noch immer im Zimmer stand, stank fürchterlich. Die Wirkung der Paradieszigarette hatte nachgelassen. Hansson hätte sich gerne noch eine angesteckt, aber seine Monatsration war schon fast erschöpft und mußte noch fünf Tage halten, ehe er sich wieder neue holen konnte.

Er stand auf und gab dem Fensterflügel einen Tritt, daß er krachend aufsprang. Die kühle Herbstluft drang langsam in das Zimmer und trieb den zähen Rauch hinaus.

Peter Hansson rieb sich die Augen. Unentschlossen stand er vor dem offenen Fenster und starrte in die grauverschwommene Landschaft. Ganz in der Nähe wurde ein neuer Hochhauskomplex errichtet, und es konnte nicht mehr allzu lange dauern, bis auch seine kleine verfallene Holzhütte den Baumaschinen zum Opfer fiele.

Peter Hansson war siebzehn Jahre alt, schmächtig, mit länglichem Gesicht. Die blonden Haare fielen ihm lang und strähnig auf die Schultern. Er konnte sich nicht daran erinnern, jemals schlechter ausgesehen zu haben. Seine Jeans waren abgewetzt und an mehreren Stellen notdürftig geflickt.

Sein Herz klopfte heftig. Das war immer so, wenn er schnell aufstand, nachdem er längere Zeit gelegen hatte.

Morgen würde er achtzehn, und dann mußte er endgültig für sich selbst sorgen. Bis jetzt hatte er immer noch Geld für das Notwendigste von seinen Eltern bekommen. Ab und zu hatte ihn auch seine Mutter besucht, aber in letzter Zeit immer seltener. Sie hatte inzwischen wieder geheiratet und hielt es für klüger, ihre Zeit ihrem Mann zu widmen.

Ab morgen würde er sich sein Geld selbst verdienen müssen. Ob er das konnte, hing in der Hauptsache von seinem Intelligenzquotienten ab, der morgen bei einem Test der Sektorenverwaltung ermittelt werden würde.

Peter Hansson schwitzte.

Er saß allein in dem kahlen weißen Raum. Vor ihm, auf einem steril wirkenden Plastiktisch, lag ein Stapel Papier, bedruckt mit Fragen. Es handelte sich um Rechenaufgaben, Intelligenzfragen und allgemeines Wissen.

Drei Stunden saß er nun schon vor dem Tisch, der für ihn viel zu niedrig war, so daß er langsam Kreuzschmerzen bekam. Er nahm das Blatt Nummer 35 und las sich die Frage zum x-ten Male durch:

›Warum ist die Europäische Zentralregierung das beste System, um das Wohlergehen aller Bürger zu sichern?‹

Er hatte sich das in Ruhe überlegt. Sicher, er konnte das schreiben, was er Tag für Tag im *Welt-Echo* las, das er sich immer aus den Papierkörben holte. Aber er konnte sich nicht dazu überwinden. Ihm kam das schäbige Bild seiner Holzbaracke in den Sinn. In der Zeitung waren immer nur Bilder von schönen neuen Häusern, in denen man mit allem Komfort wohnen konnte, wenn man sich nur ein wenig anstrengte.

Warum zum Teufel wohnte er nicht in einer solchen Wohnung? Hatte er sich etwa nicht angestrengt, hatte er nicht täglich Bücher gelesen, die ihm vom staatlichen Bildungsinstitut zugeschickt wurden, hatte er nicht immer alle Fragen richtig beantwortet?

Und trotzdem wohnte er in einem solchen Loch, nur mit dem Notwendigsten versehen.

Wie sollte er schreiben, die Regierung sei sozial, wenn er als Freikind nach diesem Test vielleicht keine Arbeit mehr fände?

Er hatte gelesen, daß die EZR alles täte, um den Menschen das Leben zu erleichtern. So traf die EZR die Auswahl, daß nur die Besten, das heißt, diejenigen mit den höchsten Intelligenzquotienten, in höhere Positionen vorrücken durften und so zum Wohle aller arbeiteten.

Allerdings, das mußte Hansson zugeben, hatte er noch nie jemanden kennengelernt, der nach dem IQ-Test in eine sogenannte höhere Position gekommen wäre. Wahrscheinlich kannte er nicht die richtigen Leute.

Auch so große Probleme wie das der Überbevölkerung wurden von der EZR auf geniale Weise geregelt. Gerade letzte Woche hatte Hansson gelesen, daß im Westeuropäischen Gesamtstaat nur Eltern, die vom Partnerschaftscomputer zusammengebracht worden waren, Kinder zeugen durften.

Lag der IQ eines der beiden Elternteile unter 120, so mußte für jedes Kind zwanzig Prozent des gemeinsamen Einkommens als ›Kindersteuer‹ entrichtet werden. Mittel zur Verhütung ungewollter Schwangerschaften wurden gratis von den Sektorenverwaltungen ausgegeben. Hansson hatte gelernt, daß dies eine vorzügliche Regelung war. So wurde erstens die Zahl der Geburten in Grenzen gehalten, und zweitens wurden fast nur noch Kinder von Eltern mit einem IQ über 120 gezeugt, was auf Dauer natürlich zu einer intelligenteren Bevölkerung führen mußte.

Alle diese Gedanken schossen Hansson durch den Kopf, während er krampfhaft überlegte, was er schreiben sollte. Was geschah, wenn er diesen Test nicht bestand?

Niemals würde er Kinder zeugen dürfen, weil er sie nicht ernähren konnte. Es würde gerade zum Leben reichen, nicht aber für ein Kind, wenn er überhaupt Arbeit bekam …

Hansson legte plötzlich den Kugelschreiber weg, ordnete die Blätter, heftete sie zusammen, schmiß sie in den Schlitz hinter seinem Tisch und verließ den Raum.

Er hatte nichts auf das Blatt mit der Frage Nummer 35 geschrieben.

Draußen auf dem Gang sagte ihm die Frau von der Anmeldung, er solle sich noch ein wenig setzen und auf sein Ergebnis warten.

Nach zehn Minuten grölte eine ölige Stimme aus den Lautsprechern auf den Gang.

»Herr Hansson!«

Hansson stand auf und öffnete die Tür, in deren Mitte bereits die Farbe abblätterte. Hinter dem Schreibtisch saß ein dicker Mann mit Vollglatze. Aus winzigen zusammengekniffenen Augen betrachtete er Hansson.

»Nun, ich will es kurz machen. Nach 34 Fragen liegt Ihr IQ bei 132, ein hervorragender Wert. Es fehlt allerdings die letzte Frage. Sie wurden ja ausdrücklich darauf hingewiesen, daß das Testergebnis nur Anwendung finden kann, wenn alle Fragen beantwortet sind. Haben Sie die letzte Frage nicht verstanden?«

Hansson schüttelte wortlos den Kopf.

»Warum haben Sie dann nichts geschrieben?«

»Ich hielt es für besser, diese Frage nicht zu beantworten.«

Der Dicke sah Hansson scharf an. Er spielte mit dem Kugelschreiber.

»Nun, wenn Sie nicht wollen, kann ich auch nichts tun. Sehen Sie, Sie sind jung, das Leben liegt noch vor Ihnen, wie man so schön sagt. Und es ist ein herrliches Leben, das können Sie mir glauben. Jetzt sagen Sie mir die Vorteile unseres Regierungssystems, und ich vergesse die ganze Sache.«

»Ich kann nicht«, antwortete Hansson ruhig. »Ich habe es mir lange überlegt und kann nicht sagen, daß mir unsere Regierung irgendwelche Vorteile bringt.«

Der Dicke zuckte mit den Schultern.

»Dann eben nicht, Hansson! Ich mache Sie allerdings darauf aufmerksam, daß Sie den Test nicht wiederholen können ... falls Sie es sich doch noch anders überlegen sollten. Sie können jetzt gehen!«

Hansson stand auf und war schon an der Tür, als der Dicke noch sagte:

»Und noch etwas, Hansson. Sie sind anscheinend jemand von den Leuten, die gegen unsere Regierung eingestellt sind. Also hoffen Sie nicht, in Zukunft noch irgend etwas von dieser Regierung zu bekommen.«

Wortlos verließ Hansson das Zimmer. Dieser Fettwanst und die gesamte Regierung konnten ihm gestohlen bleiben. Die Frau in der Anmeldung sah ihm verwundert nach.

In Gedanken versunken, stieg Hansson die Treppe des Verwaltungsgebäudes hinab. Als er auf die Straße trat, schlug ihm der kalte Wind ins Gesicht. Es regnete. Hansson beschloß, zu Fuß zu gehen. Er hatte zwar noch Geld, um sich ein Kabinentaxi leisten zu können, aber es war ihm bewußt, daß er in Zukunft wohl noch sparsamer mit seinem Geld umgehen mußte. Hoffentlich bekam er wenigstens ab und zu noch etwas von seiner Mutter ...

Es war nicht ungefährlich, zu Fuß zu gehen, in der Dämmerung oder nachts. Leicht konnte man einer der zahllosen Banden in die Hände fallen, die sich auf den Straßen herumtrieben und vor lauter Langeweile einzelnen Personen Eisenstangen über den Kopf schlugen, nur um ein paar Paradieszigaretten oder etwas Geld zu bekommen.

Meistens bestanden diese Banden aus jungen Leuten, die einen IQ von weniger als 120 und somit kaum Aussicht hatten, eine Arbeitsstelle zu finden. Würde er selbst auch einmal so enden?

Würde er nur noch leben, um Paradieszigaretten zu rauchen und ab und zu billigen Fusel zu trinken, der die Wirklichkeit für ein paar Stunden auswischte?

Hansson kam an einem alten Fabrikgebäude vorbei, das vom letzten Krieg übriggeblieben war. Er brach sich eine feste Latte aus einem Fensterkreuz des zertrümmerten Vorbaus und ging weiter. Zumindest war er nicht mehr ganz wehrlos.

Der letzte Krieg ... es mußte schon eine ganze Weile her sein. Soviel Hansson aus seinen Büchern erfahren hatte, war es um das Jahr zweitausend gewesen. Zwischen dem Osten und dem Westen hatte es damals einen kurzen, aber wirkungsvollen Krieg gegeben, aus dem der Osten als Sieger hervorgegangen war. Kurz darauf mußte dann der Westeuropäische Gesamtstaat gegründet worden sein. Mehr wußte Hansson nicht, und es interessierte ihn auch nicht weiter. Er lebte jetzt und hatte andere Sorgen.

Der Regen war inzwischen stärker geworden, und Hansson begann zu laufen. Als er das Baugelände erreichte, blieb ihm der nasse gelbbraune Schlamm an den Schuhen hängen.

Er fluchte vor sich hin, schmiß die Holzlatte gegen den Bauzaun und betrat seine Hütte.

Angenehme Wärme schlug ihm entgegen. Der kleine Ofen heizte ganz ordentlich, und Brennstoff besorgte Hansson sich aus den alten Kriegsruinen.

Wenn er nach Hause kam, mußte er immer damit rechnen, daß sich bereits irgend jemand anderes breit gemacht hatte. Aber das kam in letzter Zeit zum Glück recht selten vor. Zudem vermutete wahrscheinlich niemand, daß es hier drinnen noch etwas zu holen gab, solange er die Hütte von außen sah.

Hansson ließ sich auf die alte Matratze fallen und zündete sich eine Paradieszigarette an.

Was sollte er jetzt tun? Arbeit würde er ganz gewiß nicht finden. Sicher, es wurden auch Leute gebraucht, die nicht ganz so intelligent waren; aber erstens gab es für die nur sehr wenige Jobs, und zweitens konnte sich Hansson gut vorstellen, daß die Sektorenverwaltung dafür sorgte, daß er keine Stelle bekam.

Er ging zum Kühlschrank, wenn man das klapprige Gestell noch so nennen konnte, und holte sich eine Flasche Synth-Bier heraus. Auf dem unteren Rost lag eine Scheibe Dauerfleisch. Da er Hunger hatte, nahm er sie ebenfalls heraus und warf sie in die Pfanne, die schon seit Tagen kalt und fettig auf dem Spirituskocher stand.

Es klopfte. Erst leise, dann etwas kräftiger. An Hanssons Tür hatte es noch nie geklopft. Seine Mutter kam immer gleich herein, der Sicherheitsdienst bei seinen Kontrollgängen ebenso. Und die jugendlichen Banden meldeten ihre Besuche genausowenig vorher an. Und seit er einem von ihnen einmal den Arm gebrochen hatte, ließen sie sich nicht mehr blicken.

Wer konnte also etwas von ihm wollen?

Etwas unsicher öffnete er. Die Plastikscharniere der Tür waren schon derartig ausgeleiert, daß der untere Türrand am Boden schleifte und ein markerschütterndes Kreischen verursachte.

Draußen in der Dunkelheit konnte er nur schemenhafte Umrisse erkennen.

»Kann ich einen Moment hereinkommen?« fragte eine helle Stimme.

Verwirrt nickte er. Als die Gestalt in das schummrige Licht der Hütte kam, sah Hansson, daß es eine junge Frau, fast noch ein Mädchen war. Er schätzte sie auf siebzehn Jahre.

»Herrlich warm hier!« sagte sie und sah sich um. Hansson schloß die Tür.

»Kann ich dir helfen?« fragte er instinktiv, denn sie machte den Eindruck, als könnte sie tatsächlich Hilfe brauchen.

»Nein«, sagte sie leise und schüttelte den Kopf.

Sie hatte einen schäbigen Mantel an, der ihr mindestens drei Nummern zu groß war. Ihr langes blondes Haar fiel ihr naß und strähnig auf die Schultern.

»Ich möchte mich nur ein wenig aufwärmen, wenn es dir recht ist, dann gehe ich wieder.«

»Wohin willst du bei diesem Wetter gehen?«

Sie antwortete nicht.

Hansson zuckte mit den Schultern und bot ihr einen Platz an.

»Ich werde uns erst einmal zu essen machen«, erklärte er, während er den Spirituskocher anzündete. »Du hast doch bestimmt Hunger. Es gibt fast niemanden, der heutzutage keinen Hunger hat!«

»Mach dir keine Umstände meinetwegen!« wehrte sie ab.

»Ich war sowieso gerade dabei, etwas zu essen zu machen.« Wie zum Beweis hob er die Pfanne mit dem Fleischstück, das allerdings nicht den Eindruck machte, als könnten zwei davon satt werden.

»Ich heiße übrigens Peter, Peter Hansson«, stellte er sich vor.

»Sybille«, sagte sie, während sie es sich auf der Matratze bequem machte, »Sybille Carsten.«

Kurz darauf brachte Hansson das gebratene Fleisch, das durch das Braten nochmals um die Hälfte geschrumpft war. Er teilte es sorgfältig, legte ein Stück getrocknetes Maisbrot dazu und füllte zwei Pappbecher mit Synth-Bier. Er fragte sich, wovon er eigentlich die nächste Zeit leben sollte.

Schweigend aßen sie. Er hatte nun Gelegenheit, sich die nächtliche Besucherin näher anzusehen. Der schummrige Schein der mit einem ölverschmierten Lappen verhängten Glühbirne warf lange Schatten auf das Gesicht. Das einzige, was er genau erkennen konnte, war ihr weichgeschnittener Mund, der langsam und bedächtig die kleingeschnittenen Fleischstückchen verzehrte. Die Augen lagen im Dunkel.

»Wie lange bist du schon unterwegs?« fragte er kauend.

»Fast zwei Wochen«, antwortete sie verwundert. »Wieso nimmst du an, ich sei schon länger unterwegs?«

»Na ja, man sieht es.« Er nahm einen kräftigen Schluck Synth-Bier. »Und vorher?«

»Habe ich bei meinen Eltern gewohnt. Aber seit mein Vater eine andere Frau hat, lebt meine Mutter allein und kann mich kaum mehr ernähren. Ich bin dann einfach abgehauen. Du weißt schon ... ich möchte meiner Mutter auch nicht auf der Tasche liegen.«

Hansson nickte.

»Hast du noch Verbindung zu deiner Mutter?«

»Letzte Woche habe ich mit ihr über Videophon gesprochen. Sie möchte, daß ich wieder nach Hause komme.«

Sie machte eine kleine Pause und sah Hansson an.

»Ich möchte aber nicht, daß wir beide verhungern«, sagte sie schließlich. Es klang resignierend.

»Hast du schon Arbeit gesucht?«

»Schon oft genug«, antwortete sie. »Man bekommt aber nichts. Ich bin achtzehn und habe noch keinen IQ-Test gemacht, und da ist es sowieso aussichtslos. Irgendwie werde ich mich schon durchschlagen.«

»Warum hast du noch keinen Test gemacht?«

»Ich hätte ihn wahrscheinlich doch nicht bestanden. Ich habe das ganze letzte Jahr nichts gelernt.«

»Du hast nichts verpaßt, der Test ist sowieso mies. Du mußt lediglich ein Loblied auf unseren Staat singen. Wenn du das einigermaßen geschickt anstellst, kann dir gar nichts passieren.«

Sie sah ihn nachdenklich an.

»Das mag schon sein, aber ich kann das nicht. Sieh mich doch an! Du hast es selbst vorhin gesagt! Meine Kleider, alt und dreckig, keine Aussicht auf Arbeit und nichts zu essen. Und da soll ich ein Loblied singen?« Die letzten Worte waren ziemlich laut.

»Tröste dich, ich werde auch bald an der Luft sitzen.«

Er erzählte ihr von dem Test und seinem Ausgang. Es tat ihm gut, einmal mit jemandem darüber sprechen zu können, warum er den Test nicht bestanden hatte. Und gleichzeitig wurde ihm auch bewußt, daß er außer diesem Mädchen wohl kaum jemanden fände, der ihm zuhörte.

»Und was willst du jetzt tun?« fragte sie, nachdem er geendet hatte.

»In zwei Wochen wird dieser Schuppen voraussichtlich abgerissen werden, dann sitze ich auf der Straße, genau wie du. Ich werde versuchen herauszukommen. Irgendwohin, wo ich in Ruhe arbeiten kann und wo es wärmer ist.«

»Und wie willst du das anstellen?« fragte sie ungläubig.

»Ich werde es schon schaffen, verlaß dich drauf. Ich habe gehört, im Süden soll es ziemlich leicht sein, über die Grenze zu kommen. Und dann nichts wie weg!«

»Wohin?«

Er hob die Schultern. Er wußte selbst nicht, was eigentlich hinter der Grenze lag. Man hörte hier in den Sektoren so gut wie nichts davon. Es gab jedenfalls keinen Menschen, der jemals dort war. Zumindest kannte Hansson niemanden.

»Wollen wir nicht von etwas anderem reden? Ich habe noch nie Besuch gehabt, abgesehen von meiner Mutter. Es wäre schade, den ganzen Abend mit Problemen kaputtzureden. Willst du Musik hören?«

»Was hast du denn?« fragte sie, während sie umständlich eine Zigarette aus der Manteltasche zog. Sie war völlig durchgeweicht.

»Nimm eine von meinen!« sagte Hansson und warf ihr eine grünlich fluoreszierende Packung hin.

Aus dem kleinen Lautsprecher, der mit Schnur an der Tür befestigt war, erklang leise elektronische Musik.

Sybille rümpfte die Nase. »Schrecklich . . .«

»Aber es gibt keine andere«, sagte Hansson.

»Natürlich gibt es andere, nur heute gibt es keine andere. Musik, die von richtigen Instrumenten gespielt wird, nicht von Computern.«

»Habe ich noch nie gehört«, sagte Hansson verstört.

»Schade«, lächelte Sybille. »Meine Mutter hat mir solche Lieder noch beigebracht. Soll ich dir eins vorspielen?«

Ohne seine Antwort abzuwarten, zog sie aus ihrem Gepäck ein Gebilde hervor, das Hansson noch nie gesehen hatte. Es war ziemlich groß, bestand aus Holz, und über die Vorderseite waren feine Metalldrähte gespannt.

»Was ist das?« fragte er.

»Eine Gitarre, die habe ich auch von meiner Mutter bekommen.«

Sybille sah ihn fröhlich an und zupfte ein paarmal an den Drähten. Ein paar Töne klangen weich durch den Raum.

»Ich weiß gar nicht, warum ich mir die Mühe mache, das Ding die ganze Zeit mit mir rumzuschleppen, aber wahrscheinlich hänge ich zu sehr daran.«

Hansson stand immer noch da und starrte die Gitarre an. Er konnte sich nicht vorstellen, daß auf so etwas Musik gemacht werden konnte.

»Kannst du etwas spielen?« fragte er schließlich.

Sie nickte. »Habe ich dir ja vorhin schon angeboten. Es ist ein sehr altes Lied«, sagte sie fast schulmeisterlich, »noch aus dem vorigen Jahrtausend.«

»Aber es ist dein Lieblingslied«, sagte Hansson.

»Woher weißt du das?«

»Ich kann es mir denken.«

Sie schlug ein paar Akkorde an. Hansson lehnte sich an die Wand zurück und lauschte. Er hatte so etwas noch nie gehört, und irgendwie faszinierte ihn dieses Mädchen, wie sie so dasaß und leise und verträumt zu singen begann. Es war ein langsames, sehr melodiöses Lied.

Die letzten Töne von ›Bridge over Troubled Water‹ waren verklungen, Stille lag wieder im Raum.

»Hat es dir gefallen?«

»Ja, ich habe so etwas noch nie gehört, aber es war sehr schön.«

Er machte eine kleine Pause.

»Warum ist es eigentlich dein Lieblingslied?«

»Ich finde es einfach menschlich, ganz anders als die Zeit, in der wir leben.«

»Du glaubst, es gibt keine Menschlichkeit mehr?«

Sie schüttelte den Kopf. »Ich weiß nicht, hier und da bestimmt noch, aber niemand zeigt sie, es wäre ja ein Zeichen von Schwäche.«

»Solange es Menschen gibt, wird es auch Menschlichkeit geben. Nur haben eben die meisten zuviel mit sich selbst zu tun.«

Sybille legte die Gitarre beiseite. Sie stand auf und nahm ihren Mantel.

»Dann werde ich mal wieder gehen, Peter. Vielen Dank für das Essen.«

»Wohin willst du?«

»Ich weiß noch nicht, irgendwie werde ich schon durch-kommen.«

Sie zog sich an, packte die Gitarre weg und ging auf die Tür zu. Sie drehte sich noch einmal um.

»Vielen Dank für alles!«

Dann verließ sie den Raum.

»Bleib doch hier!« rief Hansson plötzlich. Er war aufge-standen und stand hinter ihr im Türrahmen.

»Warum?« fragte sie leise.

»Warum nicht?«

Er half ihr wieder aus dem Mantel und schloß die Tür ab. Sie drehte sich langsam zu ihm um.

»Ich freue mich«, sagte sie.

Hansson sah ihr zum ersten Mal in die Augen. Sie waren dunkelbraun. Es waren Augen, wie sie Hansson noch nie gesehen hatte. Sie sah ihn an. Traurig? Freudig? Er konnte es nicht sagen. Er wußte nur, daß er diesen Augen ver-trauen konnte.

»Du bist sehr schön«, sagte er schließlich und war im sel-ben Moment erschrocken darüber, wie dumm die Worte ge-klungen hatten.

Ein Lächeln spielte um ihren Mund. Lachte sie ihn aus? Er nahm sie in die Arme. Warum konnte er plötzlich nichts mehr sagen? Warum konnte er ihr nicht einfach sa-gen, daß sie ihm sehr gefiel, ja, daß er sie liebte? Aber wie konnte er von Liebe reden, wenn er sie erst eine Stunde kannte?

Er hatte plötzlich schreckliche Angst, irgend etwas Fal-sches zu sagen.

»Hast du schon einmal ein Mädchen gehabt?« fragte sie.

Er schüttelte den Kopf.

»Nein, und du?«

»Würde es dich stören?«

»Ich glaube nicht«, sagte er zögernd.

Sie lachte.

»Du bist unheimlich nett, ich habe auch noch niemanden gehabt.«

Sie schmiegte sich an ihn.

Ihre Lippen trafen sich, zunächst zögernd, flüchtig, als ob niemand den Anfang machen wollte, doch dann wurde der Druck fester, leidenschaftlicher.

Er spürte ihre warmen, weichen Lippen auf seinen Lippen, ihren Körper in seinen Armen und wußte plötzlich selbst nicht mehr, was mit ihm geschah. Wie einfach alles war, wie selbstverständlich, ohne daß er etwas dazu tun mußte oder etwas dagegen tun konnte.

»Ich hab dich lieb«, flüsterte er, als könnte man ihn hören.

»Ich liebe dich auch«, sagte sie und drückte sich ganz fest an ihn.

Sie küßten sich lange.

Dann löste sich Sybille aus seiner Umarmung.

»Ich bin müde, sollten wir nicht besser schlafen gehen?«

Er lächelte.

»Da gibt es gar nichts zu grinsen«, sagte sie gespielt streng. »Ich werde jetzt in meinen Schlafsack kriechen und du auf deine Matratze.«

»Ja, was hast du denn gedacht?«

»Man kann ja nie wissen«, sagte sie scherzhaft.

Er schaltete das Licht aus, tappte im Dunkeln zu ihrem Schlafsack und küßte sie.

»Du bist das netteste Mädchen der Welt, Sybille.«

»Und du bist der netteste Junge«, sagte sie, »ganz ehrlich!«

Der Regen hatte inzwischen aufgehört. Die frische Nachtluft, die durch einen Fensterspalt hereinstrich, ließ beide bald einschlafen.

Zwei Wochen später war es soweit. Nachdem Hansson mehrmals versucht hatte, Arbeit zu bekommen und er erwartungsgemäß überall abgewiesen worden war, hatten sie sich entschlossen, nach Süden zu ziehen. Sie wußten nicht, was sie dort erwartete, aber sie wagten es.

Es war ein eiskalter Wintermorgen, eine dünne Schneeschicht bedeckte den steinhart gefrorenen Boden, als Hansson und Sybille die kleine Holzbaracke verließen. Sie hätten gern noch gewartet, bis es wärmer geworden war, doch die riesige Planiermaschine stand schon wenige Meter vor der Hütte, und jemand von der Baugesellschaft hatte ihnen klargemacht, daß die Hütte nicht mehr lange stehen würde.

Es war ihnen also nichts anderes übriggeblieben, als das Notwendigste zusammenzupacken: Lebensmittel, die für einen Monat reichten, ein paar Päckchen Zigaretten, die noch von der letzten Monatsration übriggeblieben waren.

Sybille hatte darauf bestanden, ihre Gitarre mitzunehmen.

Bereits fünf Kilometer vom Baugelände entfernt begann dichter Wald. Im Schutz der Bäume war wenigstens der eisige Wind verbannt, der Ohren und Nase schmerzen ließ.

Ihre Ausrüstung war sicherlich nicht ideal für diese Witterung, aber immerhin trugen sie feste Schuhe und einigermaßen warme Kleidung.

»Ich halte es für das beste«, sagte Hansson und rieb sich die Ohren warm, »wenn wir erst mal nach einem Quartier Ausschau halten, wo wir bleiben, bis es wärmer wird.«

Sybille sah unter der Kapuze ihres Mantels hervor.

»Wir sollten aber so weit wie möglich fortkommen, es könnte ja sein, daß man uns sucht.«

»Bei dem Wetter?« fragte Hansson.

»Wer weiß, ich traue denen alles zu.«

»Also gut, aber allzu lange dürfen wir jetzt nicht mehr warten.«

Schweigend setzten sie ihren Weg fort.

Nach den ersten drei Tagen hatten sie etwa achtzig Kilometer zurückgelegt. Die eisigen Nächte hatten sie auf einem notdürftigen Lager aus Zweigen in ihren Schlafsäcken verbracht. Sie waren beide ziemlich erschöpft, und besonders Sybille litt unter der Kälte.

Waren die letzten Tage noch schön gewesen, und hatten die Sonnenstrahlen wenigstens am Tag die Luft ein wenig erwärmt, so hatte sich seit heute nachmittag der Himmel ständig verdunkelt, und jetzt gegen Abend fing es an zu schneien. Erst wenige dicke Flocken, dann wurde der Schneefall immer stärker und verdichtete sich schließlich zu einer fast undurchdringlichen weißen Wand. Das Laufen wurde immer schwieriger, und die Kleidung war schon dick mit Schnee bedeckt. Sie hatten es längst aufgegeben, den Schnee abzuklopfen.

»Lange halte ich das nicht mehr durch«, stöhnte Sybille, die sich trotz allem sehr gut gehalten hatte.

Peter Hansson bewunderte dieses Mädchen. Er selbst war schon am Aufgeben gewesen, als sie es war, die ihn zum Weitergehen ermunterte.

Hansson brauchte gar keine Antwort mehr zu geben. Durch die dichte Schneewand sah er einen kleinen dunklen Umriß. Als sie näher kamen, erkannten sie, daß es sich um eine Jägerhütte oder etwas ähnliches handeln mußte.

Vorsichtig öffnete Hansson die Tür. Das Innere der Hütte war völlig leer, und eine dicke Staubschicht auf den Fensterbrettern ließ die Vermutung zu, daß in letzter Zeit auch niemand dagewesen war.

Hansson schüttelte sich den Schnee vom Mantel und sah sich um.

»Ich kann es einfach noch nicht glauben. Wenn diese Hütte wirklich leersteht, sind wir fürs erste gerettet. Hier können wir bleiben, bis es wieder wärmer wird.«

Sybille lachte.

»Na, dann wollen wir es uns gemütlich machen!« Sie warf ihren Karton in die Ecke.

»Am besten, ich sammle ein bißchen Holz, damit wir erst mal heizen können«, sagte sie.

Hansson sah an die Decke.

»Hier ist nirgends ein Abzug. Aber wir werden das schon hinkriegen.«

Er nahm das kleine Beil, das er bei den Vorräten stecken hatte, ging hinaus in die Kälte und kletterte die Hüttenwand hinauf. Er rutschte öfter aus, fand aber immer wieder in den Ritzen zwischen den Baumstämmen Halt.

Als er schließlich auf dem Dach war, fegte er mit der Hand den Schnee weg und begann dann an einer Ecke des Daches ein Loch in die Decke zu schlagen. Es war eine schwierige Arbeit, denn auch das Holz war gefroren.

Nach einer Stunde hatte er es geschafft. Er hackte aus dem Erdreich noch ein paar Steine heraus, um eine Unterlage für die Feuerstelle zu haben.

Nachdem sie mit viel Geduld den ersten Holzhaufen zum Brennen gebracht hatten, ruhten sie sich aus und aßen ein Stück von dem Trockenfleisch.

»Wir werden bald wieder etwas zu essen brauchen«, gab Hansson zu bedenken, während er genußvoll auf dem Fleisch herumkaute.

»Darüber können wir uns morgen Gedanken machen, Peter«, sagte Sybille und schloß die Augen. Sie saß schon in ihrem Schlafsack, denn noch hatte die Wärme des Feuers die eisige Kälte nicht ganz vertrieben.

Hansson fühlte sich abgestumpft. Er hatte seine letzten Kraftreserven dazu benötigt, den Rauchabzug in die Decke zu schlagen.

Während sich draußen der Schneesturm wieder verstärkte und eisig durch die Ritzen der Baumhütte fegte, breitete sich langsam wohlige Wärme im Innern der Hütte aus.

Eine bleierne Müdigkeit schloß Hansson die Augen. Gnädig hüllte die Dunkelheit der Erschöpfung die beiden ein.

Es war Frühling geworden.

Man konnte es sehen. Die Bäume erwachten zu neuem Leben, Vögel flogen durch die Äste, und der laue Wind trug köstlichen Blütenduft mit sich.

Peter Hansson und Sybille hatten den langen harten Winter schon fast vergessen. Vorbei war die Zeit, da sie oft tagelang nichts zu essen gehabt hatten. Vorbei die ewige Kälte, die ihnen durch den ganzen Körper gefahren war und die sich auch nie ganz vertreiben ließ.

Die Sonne schien wieder warm und weckte neue Lebensgeister. Sie marschierten jetzt schon sechs Wochen in Richtung Süden, und Hansson meinte, die Hälfte müsse geschafft sein. Wie sie allerdings über die Grenze kommen sollten, wußten beide nicht. Sie hatten sie noch nie gesehen. Man erzählte sich, diese Grenze sei unüberwindbar.

Manchmal bereute es Hansson, daß sie sich auf den Weg gemacht hatten. Was hatten sie davon? Waren sie jetzt etwa besser dran?

Er dachte zurück an seine alte Hütte, auf deren Platz bestimmt schon das Fundament eines neuen Hochhauses stand. Eine schöne Zeit war es nicht gewesen. Aber würde es in Zukunft besser werden? Würden sie jemals die Grenze überwinden können, eine Grenze, von der sie nichts wußten, von der niemand ahnte, wen von was sie eigentlich trennte?

Der Boden unter Hanssons Füßen war weich und feucht, so daß es ihm vorkam, als liefe er auf einem Teppich. Er mußte mal wieder etwas zu essen besorgen. Zu diesem Zweck hatte er sich aus einem Weidenstrauch Pfeil und Bogen geschnitzt und ging damit auf die Jagd. Er kam sich fast lächerlich vor, wenn er sich mit seinem Jagdgerät anpirschte. Da lebte er nun im Jahr 2048 und ging mit einem Gerät auf die Jagd, das vor Jahrhunderten benutzt worden war. Aber für seine Zwecke war es genau das richtige.

Ein leises Geräusch im Unterholz ließ ihn zusammenfahren. Vorsichtig nahm er den Bogen von der Schulter und legte einen Pfeil auf die Sehne. Das Rascheln wurde etwas lauter, und plötzlich schoß ein dunkler Schatten aus dem Gebüsch.

Hansson hatte nicht gerade große Übung im Bogenschießen, er hatte sich aber im Lauf des Winters eine gewisse Sicherheit im Umgang mit dem Gerät angeeignet. Blitzschnell spannte er den Bogen, verfolgte den Lauf des Hasen mit der Pfeilspitze, gab etwas vor und ließ ihn dann von der Sehne schnellen. Ein leises Zischen war zu hören. Er hatte getroffen. Hansson hatte im Moment des Abschusses selbst nicht an den Erfolg geglaubt, aber er sah, wie der Hase zuckend am Boden lag. Bis Hansson bei ihm war, war der Hase schon tot. Er bückte sich, nahm das tote Tier an den Hinterläufen, zog den blutigen Pfeil aus dem Körper und ließ das noch warme Bündel Fleisch über den Rücken gleiten.

Hatte dieser Hase ein schöneres Leben gehabt als er? War er nicht völlig frei gewesen? Hansson war früher eingesperrt gewesen, er war verpflegt worden, wenn auch nur mit dem Notwendigsten, um am Leben zu bleiben. Wer jedoch frei war, war auf sich gestellt und allen Gefahren ausgesetzt. Hansson war jetzt frei. Er mußte für sich selbst und für Sybille sorgen. Er zweifelte plötzlich nicht mehr daran, daß er richtig gehandelt hatte.

Hansson ging etwas schneller. Er wollte Sybille nicht zu lange warten lassen. Er hatte sie an einer Waldlichtung zurückgelassen, wo sie die heutige Nacht verbringen wollten.

Der Wald lichtete sich bereits, und Hansson war noch ein paar hundert Meter vom Lagerplatz entfernt, als ihm Schreie ans Ohr drangen. Es mußte Sybille sein.

Er hatte sie noch nie so schreien gehört, doch es konnte niemand anderes sein. Er fing an zu laufen, zu rennen. Was konnte geschehen sein? Er verlor seinen Bogen und den Hasen, während er auf die Lichtung zujagte.

Im ersten Moment versperrte ihm ein dichter Busch die Sicht, doch was er dann sah, machte von einem Augenblick zum anderen ein Energiebündel aus ihm.

Er stürzte sich mit einem Schrei auf einen der Uniformierten, der sich an Sybille zu schaffen machte. Er packte ihn an der Schulter, riß ihn herum und schlug ihm die Faust ins Gesicht. Der Mann, der gut einen Kopf größer als Hansson und doppelt so breit war, fiel um wie ein gefällter Baum. Hansson sah Sybille auf dem Boden liegen, die zerrissenen Kleider verstreut auf dem feuchten Waldboden, und auch den zweiten Uniformierten, der die ganze Zeit über regungslos das Geschehen verfolgt hatte. Wahrscheinlich hatten beide nicht damit gerechnet, gestört zu werden. Doch jetzt kam auch in den zweiten Mann wieder Leben. Er griff zum Gürtel, um seine Lähmungspistole zu ziehen. Aber Hansson war schneller. Er wirbelte herum, war mit einem Satz bei dem Polizisten, hieb ihm die Faust in die Magengrube, so daß der Mann stöhnend zusammenbrach.

Einen Moment lang blieb Hansson stehen und schnappte nach Luft. Dann hörte er Sybilles Schrei und fuhr herum. Er sah gerade noch einen Stiefel auf sich zukommen, dann wurde ihm schwarz vor den Augen. Er fiel um, konnte aber im Fallen noch sein Messer ziehen.

Der Uniformierte stürzte auf ihn, und Hansson konnte die weitaufgerissenen Augen seines Gegenübers sehen. Der Mann versuchte ihn am Hals zu erwischen, doch plötzlich ließ er ihn los, seine Bewegungen wurden schwächer, und Hansson fühlte etwas Warmes an seiner Hand.

Er wälzte den Körper zur Seite und sah auf sein blutiges Messer, seine Hand, an der es rot und warm herunterlief.

»Du Schwein, du verdammtes Schwein!« preßte Hansson zwischen den Zähnen hervor.

Er sah sich um. Der zweite Uniformierte war nicht mehr da.

»Er ist tot«, sagte Sybille, und in ihrer Stimme lag weder Trauer noch Mitleid. Es klang eher wie eine Erlösung.

Dann wurde sie von einem heftigen Weinkrampf geschüttelt.

Hansson stand auf und drückte sie an sich.

»Es ist vorbei, Sybille.«

Er strich ihr über das zerzauste Haar, dann nahm er sie auf die Arme und trug sie hinüber zur Decke, die sie vorhin für das Essen ausgebreitet hatte.

»Es war ...«, schluchzte sie. »Es war schrecklich.«

Er nickte.

»Sag jetzt nichts, ruh dich erst mal aus.«

Hansson ging zu ihrem Gepäck und holte den Schlafsack. »Komm, schlüpf da rein!« sagte er leise und half ihr. Außer einem Fetzen ihrer Bluse hatte sie nichts mehr an. Als sie in ihrem Schlafsack lag, ging Hansson zu dem toten Polizisten, zog ihn hinter sich her und ließ ihn dann etwas entfernt im dichten Gebüsch liegen. Er ging zurück und besah sich seine Hände. Er sah das Blut, das inzwischen geronnen war.

Erst jetzt wurde ihm langsam klar, was eigentlich geschehen war. Von dem Augenblick an, da er Sybille daliegen sah, den Uniformierten über ihr, war alles automatisch geschehen.

Jetzt war es vorbei, und Hansson wurde klar, daß er einen Menschen getötet hatte. Er hätte so etwas nie für möglich gehalten. Und sicherlich wäre er dem Uniformierten auch hoffnungslos unterlegen gewesen, wenn sich Hansson in normalem Zustand befunden hätte.

Er blickte Sybille an, die aufgehört hatte zu weinen. »Sybille«, fragte er, »wo kamen diese Schweine her?«

Sie zuckte mit den Achseln.

»Ich weiß nicht. Sie waren plötzlich da und haben gefragt, was ich hier mache und warum ich hier bin. Ich habe ihnen gesagt, ich sei mit dir hier und daß man unsere Hütte abgerissen hätte und wir jetzt ein neues Zuhause suchen. Und plötzlich ...«

Sie verzog wieder das Gesicht und fing an zu weinen.

»Hast du unsere Namen genannt, Sybille?« fragte Hansson aufgeregt.

Sie schüttelte den Kopf.

»Nein, danach haben sie auch gar nicht gefragt. Ich glaube, sie waren vom Sicherheitsdienst. Der eine sagte, sie seien zufällig in dieser Gegend.«

»Das ist ja großartig!« schrie Hansson. »Vom Sicherheitsdienst – die Diener zur Bewahrung der Staatsordnung. Wenn es nicht so traurig wäre, könnte man es für einen Witz halten.«

Er schüttelte resignierend den Kopf.

Für ein paar Momente lag Schweigen in der Luft. Nur ab und zu zwitscherte ein Vogel, und die Bäume rauschten leise im Wind. Der eine, der entkommen war, mußte ja seinem Vorgesetzten erklären, wo der zweite abgeblieben war. Und daß er bei der Schilderung des Vorfalls nicht bei der Wahrheit bliebe, war klar.

Man würde bald kommen und ihn abholen wollen. Wegen Mordes an einem Beamten des Staatssicherheitsdienstes. Und daß er bei einem eventuellen Prozeß keine Chance hätte, war ebenfalls klar. Er mußte fliehen. Mit Sybille, und zwar so schnell wie möglich.

»Wir müssen hier weg, Sybille. Sie werden wiederkommen, aber diesmal nicht nur zu zweit.«

»Aber er hat doch ... du hast doch in Notwehr gehandelt.«

»Bei einem Beamten des Sicherheitsdienstes gibt es keine Notwehr, nicht in diesem Staat.«

Sie nickte.

»Am besten, ich packe gleich alles zusammen, dann können wir los.«

Während Sybille packte, suchte Hansson seinen Bogen und die Pfeile. Den Hasen zerlegte er gleich. So hatten sie zumindest für die nächsten zwei Tage etwas zu essen.

Eine Stunde später brachen sie bereits wieder auf. Langsam wurde ihnen klar, daß es in diesem Land wohl niemals mehr eine Heimat für sie geben konnte.

Von der Sonne, die langsam hinter den Bäumen verschwand, gingen sie weiter nach Süden, einer ungewissen Zukunft entgegen.

Die Sommersonne stand heiß am Himmel.

Der Fahrer des weißen Sportwagens, der die Küstenstraße von Marseille nach Cannes entlangraste, hatte das Verdeck seines Wagens zurückgeklappt.

Das Autoradio spielte flotte Musik, und der Fahrtwind ließ Claus Ludor wenig von der sommerlichen Hitze spüren.

Tief unter ihm lag das Mittelmeer. Es war ruhig, nur einzelne kleine Schaumkrönchen zeugten davon, daß ein wenig Wind wehte. Weiter draußen kreuzten einige Segeljachten auf der azurblauen Fläche.

Doch Claus Ludor achtete nicht darauf. Er war tief in Gedanken versunken. Vor seinen Augen liefen immer wieder die zahllosen Versuche ab, die er seit mindestens drei Jahren gemacht hatte. Noch bis gestern war alles normal verlaufen. Ein Versuch hatte sich an den nächsten gereiht, ohne daß man zu einem positiven Ergebnis gekommen wäre. Doch als Ludor heute früh in seinem Versuchslabor in Marseille einem Affen die chemische Substanz eingespritzt hatte, war es gelungen. Es war ihm gelungen, was bisher noch niemand geschafft hatte. Nach endlosen Versuchen hatte er endlich die richtige Substanz gefunden.

Als er sicher war, daß die Chemikalie bei dem Affen genauso wirkte, wie er es sich vorgestellt hatte, hinterließ er Professor Levèvre eine kurze Nachricht, wo er zu finden sei, und fuhr dann nach Hause.

Dr. Claus Ludor, Diplom-Chemiker und Doktor der Psychologie, fünfunddreißig Jahre alt, freute sich auf sein Zuhause, auf seine Familie und auf einen Tag Ruhe, bevor die Hetze mit der Auswertung der letzten Versuche begänne.

Er trat das Gaspedal durch, und mit einem Satz schoß der Wagen davon. Die Straße war leer, und so dauerte es keine halbe Stunde, bis Ludor vor dem schmiedeeisernen Tor stand, das er über Funk vom Wagen aus öffnete.

Er fuhr wenige Meter durch einen parkähnlichen Garten und hielt schließlich direkt vor dem Wohngebäude. Es war ein weitläufiger, schneeweißer Bungalow. Die dunklen runden Fensterbogen strahlten Behaglichkeit und Luxus aus.

Ludor war zu Hause angelangt. Er nahm die Aufzeichnungen, die neben ihm im Wagen lagen, und stieg aus. Er war etwa einsfünfundachtzig groß, schlank und hatte kurzgeschnittenes dunkelbraunes Haar.

Ludor schloß die schwere Eichenholztüre auf, warf die Aufzeichnungen auf den Couchtisch und ging eilig durch das modern eingerichtete Wohnzimmer hinaus auf die Terrasse.

Auch hinter der Villa war ein großflächiger Rasen angelegt, an den Seiten von einer Reihe Zwergpalmen gegen die glühende Mittagshitze geschützt. Durch den Rasen schlängelte sich ein Weg, der an einer blühenden Hecke endete, hinter der ein spärlich bewachsener Abhang direkt hinunter zum Meer führte.

In der Mitte des Gartens, wo die Palmen keinen Schatten mehr spenden konnten, war ein Swimming-pool in den Rasen eingelassen.

Das war Ludors Besitz. Auch das gut einen Kilometer lange Strandstück war sein Eigentum. Von der oberen Terrasse der Villa aus konnte man den Privatsteg sehen, an dem eine weiße Jacht ankerte.

Die SEAGULL war ein Geschenk der Regierung an Ludor, als er vor drei Jahren ein besonders schnellwirkendes und dabei völlig unschädliches Schmerzmittel entwickelt hatte, das seither das bekannteste Schmerzmittel überhaupt war. Und das, obwohl es eigentlich nur ein Nebenprodukt der ersten Versuche war, an denen er bis gestern nacht gearbeitet hatte.

Aber seit jenem Zeitpunkt gehörte Ludor zu jenem Kreis von Wissenschaftlern, die in Regierungsdiensten auf Lebzeit standen und somit einen Lebensstandard erreichten, der in keinem Vergleich stand zu dem anderer Bewohner dieses Staates.

Ludor war noch nicht richtig zur Terrassentür draußen,

als auch schon ein kleines Mädchen mit langen braunen Haaren auf ihn zugerannt kam.

»Tag, Daddy!« rief sie und drückte sich an ihn. Ludor nahm sie hoch, wirbelte sie herum und sah in das lachende Gesicht seiner Tochter.

»Tag, mein Schatz!« sagte er. »Wo ist die Mami?«

»Die ist unten am Wasser«, kam die prompte Antwort. Beatrice machte sich los und rannte an den Jasminhecken vorbei zum Meer.

Ludor folgte ihr den flachen Abhang hinunter. Schon von weitem sah er Monique. Sie ließ sich auf der Luftmatratze in der Nähe des Strandes treiben und sonnte sich. Anscheinend hatte sie ihn auch entdeckt, denn sie winkte und paddelte zum Strand.

Bis Ludor unten war, war sie schon aus dem Wasser und trocknete sich ab. Sie war braungebrannt und trug einen türkisfarbenen Bikini, der ihre Figur noch vollendeter erscheinen ließ, als sie es schon war.

Ludor umarmte sie und sog tief den Geruch ihrer feuchten und nach Salzwasser duftenden Haut ein. Die langen braunen Haare fielen ihr naß über die gebräunten Schultern.

»Du hast ja schon wieder so lange gearbeitet, und wenn ...«

»Und endlich habe ich es geschafft, Liebling«, unterbrach er sie.

»Was?«

Ein freudiger Aufschrei entfuhr ihr.

»Du hast es tatsächlich geschafft?«

»Ja, im Moment sieht es zumindest so aus«, bestätigte er. »Ich hoffe, daß ich wenigstens bis Montag Ruhe habe.«

»Komm, ich mache dir erst mal was zu essen!«

»Das ist eine gute Idee, die Nacht war heute verdammt lang, und ich habe einen Mordshunger.«

Zusammen gingen sie ins Haus zurück.

Nachmittags fuhr Ludor zu Dr. Thien, seinem Freund und Partner.

Er kannte Thien schon seit seiner Studienzeit im staatlichen Labor von Marseille.

Thien war ein völlig anderer Typ als er. Ludor liebte den Luxus, Thien dagegen fühlte sich in seinem kleinen Landhaus am wohlsten. Er lebte zusammen mit seiner Frau etwa drei Kilometer im Landesinnern, keine zehn Minuten von Ludors Luxusvilla entfernt.

Er und Ludor waren ein eingespieltes Team. Während Ludor bei seinen Forschungen den Schwerpunkt auf die psychische Wirkung legte, stand bei Thien die physische Wirkung im Vordergrund.

Und jetzt hatten sie zusammen etwas gefunden, was sie nur noch enger aneinander binden würde. Sie hatten es geschafft. Ludor, der berechnende Chemiker und Psychologe, und Thien, der Mediziner.

Natürlich wußte Thien schon Bescheid, denn Ludor hatte ihn heute morgen um fünf Uhr früh aus dem Bett geläutet, um ihm die freudige Nachricht mitzuteilen.

Und so sahen sie sich auch nur zufrieden an, als Ludor das Haus betrat.

Sie setzten sich wortlos, und Thien schenkte für jeden einen Whisky aus der Kristallkaraffe ein, die auf dem gläsernen Beistelltisch stand.

»Auf unseren Erfolg!« sagte Thien und hob das Glas.

»Auf unsere Zusammenarbeit, Rolf!« stimmte Ludor zu, und sie ließen den zwölf Jahre alten Whisky langsam die Kehlen hinuntergleiten.

Ludor setzte sich gemütlich zurück und sah Thien an.

»Ich sähe gern Levèvres Gesicht, wenn er den Zettel findet«, sagte er.

Thien war ein kleiner dicklicher Mann, der einen recht ruhigen Eindruck machte. Doch seine kleinen grauen Augen ließen die unheimliche Intelligenz ahnen, die sich dahinter verbarg.

Ludor kannte seinen Freund. Auch wenn er ruhig aussah, konnte er eine Energie entwickeln, die man ihm niemals zutraute. Wenn Thien ein Ziel verfolgte, konnte er Himmel und Hölle in Bewegung setzen.

»Ich wundere mich nur, daß Levèvre noch nicht angerufen hat, da er uns doch die ganze Zeit so gedrängt hat«, sagte Thien schließlich.

»Wahrscheinlich ist er noch gar nicht im Labor gewesen. Man kann es ihm ja auch nicht verdenken, es ist Samstag.«

»Hoffentlich«, gab Thien zu bedenken, »dann haben wir wenigstens noch etwas Ruhe. Ellen würde sich auch freuen, wenn wir uns öfter sähen.«

»Was hältst du davon, wenn wir zur Feier des Tages heute abend einmal wieder so richtig gemütlich essen gehen?«

»Ausgezeichnet, könnte direkt von mir stammen!« sagte Thien. »Und wo?«

Ludor schlug das *Château de la Chèvre d'Or* vor.

»Ich werde Ellen Bescheid sagen«, sagte Thien lächelnd.

»Wann können wir euch abholen?« fragte Ludor.

»Ellen wird bis sechs zurück sein. Also schlage ich sieben Uhr vor.«

»Hat sie wieder mal Wochenenddienst?« fragte Ludor.

»Ja«, seufzte Thien. »Aber was soll ich tun? Sie will die Stelle einfach nicht aufgeben, dann muß ich sie eben lassen.« Es klang etwas resignierend. Ludor wußte, daß Thien durch den Schichtdienst seiner Frau und durch seine eigene Arbeit Ellen zumindest in den letzten Wochen kaum zu Gesicht bekommen hatte.

Aber das sollte jetzt besser werden.

Vierhundertdreißig Meter hoch über dem Mittelmeer, wie ein Adlerhorst im Felsen, lag Eze-Village. Es war nach Ludors Ansicht das romantischste Dorf der Welt. Abgeschieden von der übrigen Welt, mit kleinen Gassen, engen Torbögen aus grauem Stein und hervorragenden Restaurants, lag es inmitten von Palmen und Kakteen.

Ludor parkte seinen Wagen vor dem *Château de la Chèvre d'Or*, einem Hotel der Spitzenklasse. Es gab nicht viele Hotels, die Ludor kannte. Eze-Village war einer der Orte, wo sich die Privilegierten trafen. Nur diese konnten es sich auch leisten, solche Hotels zu besuchen.

Hier, im *Chèvre d'Or*, hatten sich er und Monique kennengelernt. Das Hotel hatte nur sechs Zimmer, doch von jedem genoß man eine Aussicht, die ihresgleichen suchte.

Das *Chèvre d'Or* war schon ein sehr altes Hotel; es hatte den Zweiten und Dritten Weltkrieg überstanden und thronte im Glanz seiner Patina, majestätisch und beeindruckend, hoch über dem Meer.

In Eze-Village herrschte ein Klima, dem selbst der europäische Winter nicht beikam. Hier wuchsen Kakteen wie anderswo Gras. Orangen und Zitronen gab es im Überfluß, himmlische Terrassen mit Blick auf das Mittelmeer, Sonnenuntergänge von einmaliger Schönheit, kurz: eine makellose Komposition von Himmel, Steinen, Meer und Sonne.

Man dinierte im Freien. Die Terrasse war mit Weinreben bewachsen, und das Licht der sinkenden Sonne ließ den Wein in den Gläsern goldrot funkeln.

Die Luft kühlte langsam ab, und bald lag auch das Wasser des Swimming-pools still und verlassen da. Ein Bediensteter des Hotels zündete Lampions rund um den Pool an.

»Es ist einfach herrlich hier«, sagte Monique. Sie lehnte sich zurück, nippte an ihrem Glas und sah verträumt hinunter auf das blutrote Meer.

Ellen Thien nickte.

»Ja, wirklich, es ist großartig. Man sollte viel öfter herkommen. Zum Glück sind ja unsere Männer jetzt endlich fertig.«

Ihr Mann grinste.

»So schnell auch wieder nicht, die Hauptarbeit beginnt erst noch. Ich schätze, Professor Levèvre wird uns nicht zur Ruhe kommen lassen. Wir werden eine endlose Reihe von praktischen Versuchen vor uns haben.«

»Und wenn wir damit fertig sind, wird es wieder etwas Neues geben«, warf Ludor ein. »Wozu, glaubst du, werden sie es verwenden?«

Thien zog die Brauen hoch.

»Schwer zu sagen, ich schätze, vor allem, um psychisch Kranken zu helfen. Wenn man kein Gefühl mehr hat, kann man auch nichts mehr fühlen.«

»Im Moment verraten sie uns wieder Staatsgeheimnisse«, wisperte Ellen zu Monique.

»Was werden wohl die gegnerischen Geheimdienste dafür geben?« fragte Monique lachend und schob den Träger ihres Kleides über die Schultern.

»Aber, aber!« sagte Ludor streng. »Ich dachte, hier seien nur Vertrauenspersonen anwesend!«

Er sah Ellen an. Sie war sehr schön. Ein ganz anderer Typ als Monique. Während seine Frau immer sonnengebräunt war und somit recht sportlich aussah, war Ellen eher blaß. Man sah ihr manchmal den anstrengenden Krankenhausdienst an. Aber dies tat ihrer Schönheit keinerlei Abbruch. Sie hatte blonde kurzgeschnittene Haare und blaue Augen, in denen die Liebe der ganzen Welt zu liegen schien.

»Vielleicht verraten wir doch etwas«, sagte Monique und schmunzelte.

»An wen wollt ihr denn etwas verraten?« fragte Thien.

»Oh, irgend jemand wird sich sicherlich dafür interessieren.«

Ludor und Thien blickten sich an. Sie hatten selbst schon oft über dieses Thema gesprochen. Wer konnte sich dafür interessieren? Sicher, sie arbeiteten unter strengster Geheimhaltung, aber sie wußten nicht, wen sie eigentlich zu fürchten hatten. Es hieß immer nur, es gäbe gewisse Personenkreise, die sich für die Ergebnisse interessierten. Wer diese Leute sein sollten, wußte niemand. Bisher hatten auch weder Ludor noch Thien von einem Spionagefall gehört. Aber sie wußten ja auch nicht, welches Land hinter dem Meer lag, von wem es regiert wurde. Genausowenig, wie sie wußten, was sich hinter der großen grauen Mauer verbarg, die sich etwa zwanzig Kilometer im Landesinnern durch das ganze Land zog.

»Na ja, was soll's?« lenkte Ludor ab. »Wir werden sehen, was aus unserem Mittel wird. Auf jeden Fall dürften wir in nächster Zeit genügend Arbeit haben.«

Sie wollten gerade bezahlen und gehen, als Ludor Professor Levèvre am steinernen Eingangsbogen stehen sah.

Etwas verwirrt ging er zu ihm und reichte ihm die Hand.

»Guten Abend, Professor!«

»Guten Abend, Claus! Wundern Sie sich bitte nicht, daß ich hier bin. Es ist kein Zufall. Ich möchte, daß Sie und Thien so bald wie möglich nach Marseille kommen und weiterarbeiten. Wir müssen die Versuchsreihe starten, damit wir schnellstens konkrete Ergebnisse vorzeigen können.«

»Ich sah mich eigentlich schon einen Tag lang am Strand liegen und faulenzen«, sagte Ludor etwas ärgerlich.

Er winkte Thien herbei.

»Tut mir leid«, sagte Levèvre und zuckte mit den Schultern, »aber es geht nicht anders. Wir müssen weiterarbeiten. Wenn wir fertig sind, das verspreche ich Ihnen, haben Sie drei Monate frei.«

»Sollen wir also gleich mitkommen?« fragte Thien.

Levèvre nickte.

»Ja, aber ich sehe, Sie haben Ihre Gattinnen dabei. Ich halte es für das beste, Sie fahren sie nach Hause und kommen dann gleich nach Marseille. In zwei Stunden fangen wir an.«

An Levèvres Tonfall war eindeutig zu erkennen, daß es nichts mehr zu diskutieren gab.

»Okay, Professor, wir kommen«, sagte Ludor und lächelte, so gut er konnte.

»Alles klar, meine Herren, bis nachher!«

Deprimiert gingen sie an den Tisch zurück und zahlten.

»Wir müssen wieder arbeiten, tut mir leid, Monique«, versuchte Ludor zu erklären.

Sie hob den Kopf.

»Manchmal wünsche ich mir, du wärst kein Wissenschaftler.«

»Dann würden wir wahrscheinlich nicht so leben können, Monique«, entgegnete Ludor, während er überlegte, wo er dann wohl wohnen würde. Vielleicht hinter der großen Mauer?

Sie standen auf und gingen zu Ludors Wagen.

Mit kreischenden Reifen fegte Ludor die Bergstraße hinunter.

Zuerst setzten sie Ellen, dann Monique ab und fuhren dann auf der Küstenstraße nach Marseille.

Die Straße war leer, wie immer. Es gab ohnehin nur wenige, die hier lebten und sich einen Wagen leisten konnten. Es war eine Straße für Privilegierte.

Thien hatte es sich in den Ledersitzen bequem gemacht und dachte nach.

»Woher mag Levèvre gewußt haben, daß wir in Eze sind?«

»Ich weiß nicht«, sagte Ludor.

»Glaubst du, wir werden heimlich abgehört?«

Ludor sah ihn an. Thien erkannte sofort, daß auch ihm dieser Gedankengang nicht ganz absurd erschien.

»Ich weiß nicht«, sagte Ludor langsam. »Gedacht habe ich auch schon daran. Wenn man es sich ganz genau überlegt, kann es eigentlich gar nicht anders sein. Schließlich wußte niemand, wo wir heute abend sind.«

Thien schloß die Augen. Er durfte gar nicht daran denken. Wenn er wirklich abgehört wurde, war es eigentlich verwunderlich, daß er noch das war, was er war. Er hatte nämlich schon oft mit Ellen über Dinge gesprochen, die nicht beredet werden durften.

Und dann die ganz privaten Sachen, die Sorgen und Probleme, und überhaupt alles, was er so mit Ellen redete.

Thien war entschlossen, dieses Problem mit Levèvre zu besprechen. Dann wüßte er sicherlich mehr.

Harry, der Schimpanse, saß allein in seinem Käfig. Schon seit zwei Tagen hatte er nichts mehr zu fressen bekommen. Wenn sein Pfleger auch nur in die Nähe des Käfigs kam, fing Harry fürchterlich zu schreien an.

Professor Levèvre beobachtete das Tier schon seit geraumer Zeit.

»Wenn wir ihm jetzt das Serum injizieren, müßte er eigentlich ruhig werden, nicht wahr?«

Ludor nickte.

»Ich hoffe es. Gestern hat es jedenfalls geklappt.«

Ludor zog eine Ampulle auf die Spritze und ging auf Harry zu.

Er schrie gottserbärmlich, als Ludor ihm das Serum in sein Hinterteil injizierte.

»Und wie wirkt das Zeug?« fragte Levèvre, während er aufmerksam den Affen beobachtete.

»Es ist nicht einfach zu erklären, Professor«, antwortete Ludor. »Man kann vereinfacht sagen, daß es lähmend auf die Großhirnrinde wirkt. Dort sitzen ja die Zentren des Empfindens, des Wollens und des Handelns. Aber es wirkt natürlich nicht generell auf alle Zentren.«

Levèvre machte eine Handbewegung. Harry war plötzlich still geworden.

»Wie lange braucht es eigentlich, bis es voll zur Wirkung kommt?«

»Es müßte jetzt eigentlich schon soweit sein«, antwortete Thien, der bisher still dagestanden hatte.

»Geben Sie etwas Eßbares her!« rief Levèvre dem Pfleger zu.

»Für Sie, Herr Professor?« fragte der Mann.

Levèvre verzog das Gesicht.

»Für den Affen natürlich, oder sind Sie vielleicht mein Pfleger?«

Der Mann murmelte etwas und gab Harry zwei geschälte Bananen. Er gab sie ihm nicht in die Hand, sondern legte sie nur vor ihn hin.

Es geschah nichts. Harry stierte auf die Bananen, aber er bewegte sich nicht vom Fleck.

Auf ein Zeichen von Levèvre gab ihm der Pfleger eine Banane in die Hand. Doch auch danach blieb Harry regungslos.

»Großartig, meine Herren!« sagte Levèvre. »Es scheint tatsächlich zu klappen. Der Schimpanse hat keinen eigenen Willen mehr. Er empfindet zwar noch Hunger, kann aber nichts tun, um diesen Hunger zu stillen.«

»Ja«, sagte Ludor gedehnt, »so könnte man es vereinfacht ausdrücken. Es klappt tatsächlich besser, als wir dachten. Das Serum wirkt hauptsächlich auf das Wollen. Er empfindet zwar noch Hunger, kann aber dieses Bedürfnis nicht mehr befriedigen.«

»Er ist praktisch handlungsunfähig!« rief Levèvre laut.

Thien nickte wortlos.

»Okay, ich bin mit Ihrer Arbeit zufrieden, aber wie, glauben Sie, wirkt das Serum auf Menschen?«

»Wir nehmen an«, sagte Ludor, »daß es ähnlich wirkt. Wir haben es ja schließlich entwickelt, um psychisch Kranken zu helfen.«

Levèvre sah ihn lächelnd an.

»Sie haben das Serum für die Regierung entwickelt. Und sonst nichts.«

Der letzte Satz klang eisig.

Thien sagte nichts mehr. Er hatte plötzlich ein ungutes Gefühl. Während der ganzen Zeit, in der er mit Ludor an diesem Serum gearbeitet hatte, hatte er sich eigentlich wenig Gedanken darüber gemacht, was später aus ihrer Erfindung würde. Aber jetzt waren plötzlich gewisse Zweifel da, Zweifel, ob die Droge auch wirklich richtig angewendet würde.

»Ich darf Ihnen also nochmals gratulieren, meine Herren, ich bin sehr zufrieden mit Ihrer Arbeit. Bis morgen möchte ich die genaue Zusammensetzung des Präparats sowie eine detaillierte Aufstellung sämtlicher Versuche auf dem

Schreibtisch haben. Nächste Woche werden wir dann die Versuchsreihe fortsetzen.«

Er reichte beiden die Hand.

Als Levèvre gegangen war, atmete Thien erleichtert auf.

»Glaubst du, daß wir alles richtig gemacht haben, Claus?« fragte er unsicher.

»Was meinst du damit?«

»Ich meine, ob es überhaupt richtig war, das Mittel zu erfinden.«

»Rolf, wir machen hier unsere Arbeit wie jeder andere. Wir haben dafür ein Leben, wie man es sich nur wünschen kann. Was wollen wir noch mehr?«

»Sicher, wir haben ein schönes Leben«, stimmte ihm Thien zu, »aber ich frage mich manchmal, ob es richtig ist, etwas zu erfinden, was vielleicht das Schicksal von anderen Menschen nachhaltig beeinflußt. Wir haben praktisch ein Mittel erfunden, das Menschen zu willenlosen Puppen machen kann. Und ich muß dir sagen, daß mir bei diesem Gedanken keineswegs wohl ist.«

»Das hätten wir uns vorher überlegen müssen, Rolf.«

»Sicher, das ist ja das Schlimme. Als wir mit der Arbeit anfingen, hat es uns interessiert, ob wir so etwas fertigbringen. Aber wir haben es nicht erfunden, um uns irgendwelche Vorteile zu verschaffen oder jemandem zu schaden, sondern nur, um uns selbst zu bestätigen. Um zu bestätigen, was wir für große Wissenschaftler sind.«

Er machte eine kleine Pause.

»Weißt du, Claus, manchmal hasse ich mich selbst. Wir wollen uns doch nur immer selbst bestätigen, ohne auch nur einen Moment an die anderen zu denken.«

Ludor nickte nachdenklich.

»Sicher hast du recht. Aber wir sind nun einmal Wissenschaftler und können daran auch bestimmt nichts ändern. Und außerdem ist mir das Hemd immer noch näher als die Hose.«

Er sah auf die Uhr. Es war schon kurz nach zwei.

»Ich glaube, ich haue mich jetzt aufs Ohr, morgen gibt es eine Menge zu tun.«

Thien zog die Augenbrauen hoch.

»Morgen? Ich denke, die Versuche werden erst nächste Woche fortgesetzt.«

Ludor lachte.

»Ich meinte, zu Hause gibt es viel zu tun. Ich muß meine Jacht mal wieder gründlich überholen.«

»Diese Sorgen habe ich nicht.« Er schmunzelte. »Das soll aber nicht heißen, daß ihr uns nicht mal wieder zu einer kleinen Bootsfahrt einladen könnt.«

»Vielleicht klappt es nächste Woche, nach den Versuchen. Ich sage dir auf jeden Fall Bescheid.«

»Fein«, antwortete Thien. »Ellen wird sich freuen.«

Er zog seinen Kittel aus.

»Ich werde mich auch hinlegen. Wenn du nichts dagegen hast, fahre ich dann morgen mit dir zurück.«

»Geht in Ordnung«, sagte Ludor und verließ das Laboratorium, um in sein Privatzimmer zu gehen. Er duschte noch ausgiebig und legte sich dann auf seine Pneumo-Liege.

Es ist schon seltsam, dachte er, eigentlich könnte ich ja zufrieden sein mit dem, was ich erreicht habe, aber irgendwo hat Rolf schon recht. Man sollte sich mehr überlegen, für wen man eigentlich forscht. Andererseits, ich hätte das alles nicht, was ich jetzt habe. Kein eigenes Haus, keine Jacht, kein Luxus.

Unzufrieden mit sich und der Welt, aber erschöpft, schlief er schließlich ein.

Ausgeruht wachte Ludor auf.

Er zog sich an, tippte ein kleines Frühstück mit Kaffee, Brötchen und Ei in den Computer und rasierte sich.

Nach drei Minuten kam das fertige Frühstück aus dem Automaten. Der Kaffeegeruch machte ihn richtig munter. Ludor pfiff leise vor sich hin und freute sich auf die freie Woche, die vor ihm lag.

Als er gefrühstückt hatte, ging er auf den Gang hinaus, um Thien in seinem Zimmer abzuholen. Sie mußten zusammen erst noch die Unterlagen für Levèvre zusammenstellen.

Thiens Zimmer befand sich genau gegenüber.

Ludor klopfte an. Es rührte sich nichts. Normalerweise war Thien immer schon früher wach als er.

Ludor sah auf seine Uhr. Es war bereits halb zehn. »Alter Langschläfer!« murmelte er und drückte langsam die Türklinke nieder.

Thiens Bett war unberührt. Und auch von ihm selbst war nichts zu sehen.

Ludor kratzte sich nachdenklich die Stirn. Thien hatte doch gestern ausdrücklich gesagt, er wolle mit ihm fahren!

Er suchte das Zimmer nach einer Nachricht ab. Vielleicht war er mit jemand anderem gefahren. Aber auch das schlug sich Ludor schnell aus dem Kopf. Gestern war Sonntag, und außer ihnen niemand im Labor. Das Labor! Vielleicht war er da.

Ludor lief in Richtung der Versuchsräume. Doch auch hier war von Thien keine Spur.

Für Ludor war das unerklärlich. Er beschloß, zunächst einmal nach Hause zu fahren.

Miller, der alte Portier, saß auf seinem Holzstuhl und las eine alte Ausgabe des *Welt-Echos*.

Als Ludor vorbeikam, sah Miller kurz auf und grüßte. Auch Miller hatte Thien nicht gesehen.

Zu Hause versuchte er sofort, Rolf Thien zu erreichen.

Er drückte die Nummer in das Videophon, und Sekunden später erschien das Gesicht von Ellen auf dem Bildschirm. Sie wirkte müde und abgespannt.

»Hallo«, meldete sie sich, als sie Ludor erkannt hatte. »Ist Rolf noch bei dir?«

Ludor atmete tief durch. Dort war er also auch nicht.

»Nein, Ellen, Rolf ist nicht hier. Ich wollte ihn heute morgen aus seinem Zimmer holen, aber er war nicht da. Ich dachte zuerst, er sei mit jemandem anderen gefahren, aber ...«

»Er ist bisher noch nicht hier gewesen, Claus«, unterbrach ihn Ellen.

»Ich möchte nur wissen, wo er steckt, er kann sich doch nicht einfach in Luft aufgelöst haben!«

»Wenn er hier auftaucht, melde ich mich gleich. Ich muß jetzt erst wieder ins Krankenhaus!« Ihre Stimme zitterte.

Als sie die Verbindung unterbrochen hatte, saß sie einige Zeit regungslos da. Was war los mit Rolf? Warum war er plötzlich verschwunden?

Sie schaute auf die Uhr. Es war Zeit. Nachdenklich verließ sie das Haus und bestellte sich ein Kabinentaxi.

War Rolf vielleicht unvorsichtig geworden? Hatte er zuviel gesagt?

Vor Henry Beller, dem obersten Sektorenverwalter, lag die neueste Ausgabe des *Welt-Echos,* der einzigen legalen Zeitung, abgesehen von einigen wissenschaftlichen Blättern.

Ihm gefiel der Artikel, der über die heimtückische Ermordung des Beamten des Staatlichen Sicherheitsdienstes berichtete.

Wie uns gestern vom Sicherheitsdienst gemeldet wurde, fiel bereits vor drei Monaten, am 23. März 2048, einer der erfahrensten Beamten dieser Dienststelle einem heimtückischen Verbrechen zum Opfer. Wie von einem zweiten Beamten berichtet wurde, der sich in letzter Sekunde vor dem bis auf die Zähne bewaffneten Mörder retten konnte, wurde sein Kollege und persönlicher Freund durch mehrere Messerstiche in die Brust grausam umgebracht. Der überlebende Beamte gab außerdem an, daß die Tat ohne jedes Motiv geschehen sei. Er und sein Kollege hätten sich auf einem planmäßigem Kontrollgang durch die Waldgebiete befunden und dort eine Frau vorgefunden. Der Kollege Keram habe vorschriftsmäßig die Ausweispapiere der Frau sehen wollen, als plötzlich ein Mann in Lederkleidung auf ihn zuge-

stürmt kam und ihn dann brutal ermordet habe. Er selbst sei niedergeschlagen worden, und nur seiner schnellen Reaktion habe er es zu verdanken, daß er noch am Leben sei.

Soweit die Aussage des Beamten. Hiermit ist nun wieder einmal der Beweis erbracht, was solche subversiven Elemente wie jener Peter Hansson (der Name des Mörders; d. Red.) in unserer Gesellschaft bewirken können. Solche staatsgefährdenden Objekte müssen aus unserer Gesellschaft entfernt werden. Wir bitten jeden verantwortungsbewußten Bürger unseres Staates um Mithilfe bei der Aufklärung dieses abscheulichen Verbrechens. Wir bitten ferner, besonders auf Freikinder zu achten, auf Personen, die in nicht legalisierten Ehen zusammenwohnen, und ebenso auf andere Personen, die die Sicherheit unseres Staates und damit jedes ordentlichen Bürgers gefährden. Wir bitten Sie, liebe Leser, mitzuhelfen. Eine trauernde Witwe und drei Kinder klagen an.

Mit Genugtuung legte Beller die Zeitung beiseite. Bestimmt würden sich jetzt wieder die Anzeigen häufen, Anzeigen, die einigen dieser ›Wilden‹, wie Beller sie zu nennen pflegte, ein paar Jahre Strafarbeit einbrächten. Und je mehr Strafarbeiter er brächte, desto zufriedener wäre 518, sein unmittelbarer Vorgesetzter und oberster Gesamtsektorenverwalter.

Daß der Bericht jetzt erst erschien, war von Beller sorgfältig geplant worden. Es ging ihm ja nicht um diesen Hansson, es ging ihm einzig und allein um die Wirkung des Berichtes auf die Bevölkerung. Zu der Zeit, als der Mord geschah, hatte Beller genügend Strafarbeiter, und es wäre unmöglich gewesen, noch weitere aufzunehmen. Außerdem glaubte Beller die Geschichte des Sicherheitsbeamten sowieso nicht. Zu vieles war ihm unklar. Bestimmt hatte Hansson einen Grund gehabt, Keram umzubringen. Aber wen interessierte das? Sollte Hansson jetzt, nach drei Monaten, doch noch gefaßt werden, würde man ihn zu lebenslanger Strafarbeit verurteilen.

Auch heute nachmittag hatte Beller einen Termin bei einer solchen Verhandlung. Es ging um einen Schriftsteller, der ständig aufwiegelndes Zeug schrieb und mit seinen Flugblättern Unruhe unter die Bevölkerung brachte. Natürlich griff er auch die Verwaltung an.

Sicherlich war die Angelegenheit schnell behoben. Beller schätzte die Strafe auf fünf Jahre Arbeitslager in den schottischen Mooren.

Wo kämen wir hin, dachte Beller, wenn jeder seine Meinung rausposaunen könnte, wie er wollte? Das würde nur die einfachen Leute beunruhigen, und manche begännen womöglich, darüber nachzudenken, nachzudenken über sich selbst, ihr Leben, über die Verwaltung und anderes. Und Nachdenken war immer gefährlich. Schließlich wurden vor zehn Jahren nicht umsonst alle Bücher aus dem Verkehr gezogen. Wozu war schließlich das Videogerät da? Was ging die Leute das an, was man vielleicht vor hundert Jahren geschrieben hatte? Das Übel mußte gleich mit der Wurzel ausgerissen werden.

Urteil vom 28. Juni 2048 in Sachen Franz Kleras:

Der Angeklagte wird für schuldig befunden, die Bevölkerung durch Anfertigung und Veröffentlichung von Hetzparolen aufgewiegelt zu haben. Die Fertigung staatsgefährdender Schriften und der dadurch begangene Betrug an den Bürgern des Westeuropäischen Gesamtstaates sind damit erwiesen. Im Namen des Volkes wird das folgende Urteil verkündet:

Dem Angeklagten werden die bürgerlichen Ehrenrechte auf Lebenszeit aberkannt, er wird zu vier Jahren Strafarbeit im schottischen Hochland verurteilt. In Anbetracht der finanziellen Verhältnisse des Angeklagten wird er zusätzlich zu einem weiteren Jahr Strafarbeit verurteilt, durch die die Prozeßkosten als abgegolten anerkannt werden.

Franz Kleras durfte über vier Jahre im schottischen Hochland arbeiten. Er durfte Torf stechen, jeden Tag acht Stunden, sechs Tage in der Woche. Er durfte der Gesellschaft dienen und die Ernährung der Bevölkerung sicherstellen. Sonntags durfte er in den Baracken bleiben, während andere in die Kirche gingen, um sich neue Kraft und Hoffnung für die nächsten sechs Tage zu holen.

Franz Kleras durfte noch mehr. Er durfte an seine Frau schreiben, nur kamen seine Briefe niemals an, weil man vermutete, daß auch diese wieder aufrührerische Parolen enthalten könnten. Der Leiter der Strafkolonie pflegte sich seine Zigaretten immer mit beschriebenem Briefpapier anzuzünden. Als Kleras nach zwei Jahren immer noch keine Nachricht von seiner Frau hatte, hörte er auf zu schreiben.

Franz Kleras durfte jeden Tag an der frischen Luft sein, sich den kalten Wind um die Ohren pfeifen lassen, im Regen stehen oder von diesigem Nebel umgeben sein. Ebenfalls stand ihm täglich ein Moorbad zu, was sich mit seiner Tätigkeit als Torfstecher glänzend verband.

Und wie gesagt, er durfte es jeden Tag. Ob sich Kleras nun wohl fühlte oder nicht, ob er Fieber hatte oder Kreuzschmerzen. Er durfte es jeden Tag.

Er durfte auch seine Meinung sagen, ganz öffentlich. Als er den Aufseher einmal ›Stinkendes Schwein‹ nannte, durfte er sogar eine Woche lang fünfzehn Stunden arbeiten. Franz Kleras arbeitete zum Wohl des Staates, den er so oft verleumdet hatte.

Einen Tag, bevor er laut Urteil entlassen werden sollte, verschwand Kleras im Moor, niemand sah ihn je wieder.

Am Abend jedoch war Hochstimmung im Lager. Der Aufseher hatte den anderen mitgeteilt, Kleras sei schon einen Tag früher entlassen worden und befinde sich bereits auf dem Heimweg.

Und manche freuten sich, denn sie hatten auch nur noch ein paar Wochen bis zur Entlassung.

Dunkel hingen die Wolken über dem Tal. Es regnete leicht. In der Ferne erhob sich eine große graue Mauer. In breiten dunklen Streifen rann der Regen daran hinab.

Geduckt liefen zwei Gestalten aus dem Schutz des Blätterdickichts in Richtung der Mauer. Während sie jede nur mögliche Deckung ausnutzten, gelang es ihnen, bis auf etwa hundert Meter an die Mauer heranzukommen.

Keuchend blieben sie sitzen. In der Erdmulde hatte sich das Regenwasser gesammelt, und Peter Hansson spürte die Nässe in den Schuhen.

Er sah Sybille an. Da saß sie, mit nassen schmutzigen Haaren, verdreckt von oben bis unten, genau wie er selbst.

Die letzten zwei Wochen hatten sie kaum etwas gegessen und nur wenig geschlafen. Sie waren auf der Flucht. Auf der Flucht vor dem Staat. Sie hatten zwar noch niemanden zu Gesicht bekommen, aber sie konnten sich denken, daß man sie suchte.

»Glaubst du, daß wir es schaffen?« fragte Sybille und kaute auf ein paar Nüssen herum, die sie unterwegs gesammelt hatten.

Hansson zuckte mit den Schultern. »In ein paar Stunden werden wir es wissen.«

Er strich ihr übers Haar. Dann wanderte sein Blick an der Mauer entlang. Sie war gut vier Meter hoch, und Hansson wußte nicht, ob sie zusätzlich mit Minengürteln und Selbstschußanlagen gesichert war. Aber sie mußten es schaffen. Es gab kein Zurück. Und das war gut so.

Denn sie waren beide so erschöpft, daß sie am liebsten aufgegeben hätten. Aber die Angst verfolgte sie und trieb sie immer weiter an.

Hansson überprüfte noch einmal seine Kleidung. Er durfte nirgends hängenbleiben.

Vorsichtig schlich er sich an die Mauer heran, immer auf den Boden achtend, falls irgendwo ein Draht gespannt war. Sybille war zurückgeblieben. Er hatte es mit ihr oft genug durchgesprochen. Es durfte einfach nichts schiefgehen.

Je näher die Mauer kam, um so heißer wurde ihm. Er rechnete ständig damit, einen großen Schlag zu hören und zu wissen, es wäre aus. Aber nichts geschah. Entweder war die Mauer gar nicht so gut gesichert, wie er angenommen hatte, oder er hatte bisher einfach unverschämtes Glück gehabt.

Endlich hatte er es geschafft. Er lag direkt am Fuß der Mauer. Er konnte sie riechen. Den kalten, leicht muffigen Geruch von nassen Steinen. Hoch ragte sie über ihm auf. Hansson ergriff das Seil, das er aus Pflanzenfasern geflochten hatte. Am einen Ende war ein Greifhaken befestigt, der sich auf der anderen Seite der Mauer verfangen sollte. Hansson hoffte inständig, daß er auch halten würde.

Er sah sich noch einmal um, dann stand er auf. Er holte Schwung und ließ den Haken los. Nichts. Ein zweiter Versuch. Der Haken verschwand mit einem leisen Klingen hinter der Mauer. Vorsichtig zog er am Seil. Es gab nach, und der Haken kam wieder herunter. Er versuchte es noch einmal. Wieder verschwand der Haken. Diesmal hielt das Seil. Hansson arbeitete sich langsam hoch. Er sah sich ständig um, doch es war nichts Außergewöhnliches zu entdecken. Als er sich ungefähr zwei Meter über dem Boden befand, konnte er Sybille sehen, die noch immer regungslos in der Mulde saß. Er gab ihr ein kurzes Zeichen. Dann setzte er seinen Weg fort. Er hatte Mühe, an den glatten, glitschigen Steinen Halt zu finden.

Nach Atem ringend, hing er fünf Minuten später über dem Rand der Mauer und blickte auf die andere Seite. Auch hier war nichts zu sehen. In weiter Ferne konnte er einen dunklen Punkt erkennen: ein Wachhaus.

Sybille war inzwischen unten angekommen und hatte das Seil umfaßt. Hansson zog sie herauf. Es war eine mühsame Arbeit, da er selbst nicht genügend Halt fand. Aber Sybille arbeitete mit. Atemlos ließ sie sich neben ihm auf die Mauerkante fallen.

»Ich dachte schon, ich schaffe es nicht mehr«, keuchte sie.

»Wir müssen uns beeilen, Sybille«, sagte Hansson schnell. »Solange wir hier oben sind, kann uns jeder sehen.«

Er holte das Seil ein, verankerte den Greifhaken in einem Mauervorsprung und ließ es dann auf die andere Seite hinunterfallen.

»Ich gehe jetzt runter. Komm bitte erst, wenn ich dir ein Zeichen gebe!«

Langsam und vorsichtig ließ er sich an dem Seil hinab. Dann stand er auf der Erde. Hinter der Mauer. Zum ersten Mal stand er auf einem Boden, der nicht zu diesem Staat gehören konnte. Denn wozu hätte man sonst eine solche Mauer gebaut?

Vor ihm lag ein großes, mit Gras und niedrigen Büschen bewachsenes Land. Er gab Sybille ein Zeichen, und auch sie kam ohne größere Schwierigkeiten herunter.

Sie sahen sich an. Jetzt hatten sie eine Etappe ihres Ziels erreicht. Als nächstes wollten sie zur Küste und von dort aus ihren Weg fortsetzen.

Sie waren etwa zehn Minuten von der Mauer entfernt, als plötzlich der Boden unter ihnen aufzubrechen schien. Es tat einen fürchterlichen Schlag, und Hansson fühlte einen dumpfen Schmerz im Kopf. Er sah Leuchtzeichen am Himmel, und sein letzter Gedanke war: Es hatte doch nicht geklappt. Dann wurde es dunkel um ihn.

Drei Wochen waren vergangen, seit Thien verschwunden war. Und es gab immer noch kein Zeichen von ihm.

Auch Ellen, seine Frau, hatte nichts von ihm gehört.

Claus Ludor hatte inzwischen notgedrungen allein an dem Projekt weitergearbeitet. Trotz des Fehlens von Rolf war er gut vorangekommen.

Auch an diesem Abend hatte er wieder einige entscheidende Versuche unternommen. Es schien, als hätte er jetzt die Wirkung des Mittels auf die verschiedenen Gehirnzentren voll unter Kontrolle.

Zufrieden und in Gedanken versunken, wollte er gerade das Gebäude verlassen, als ihm einfiel, daß er Levèvre versprochen hatte, eine Nachricht zu hinterlassen. Da Levèvre schon am Nachmittag gegangen war, wollte Ludor die Nachricht auf dem Schreibtisch Levèvres hinterlassen.

Er ging noch einmal hinauf in die Laborräume. Auf Levèvres Schreibtisch nahm er einen Zettel und wollte gerade eine Kurzfassung der heutigen Ergebnisse aufschreiben, als ihm ein Stück Papier auffiel, das halb unter einem dicken wissenschaftlichen Buch lag.

Normalerweise war Ludor nicht neugierig, aber irgendwie interessierte es ihn plötzlich, was dort stand.

Er zog den Zettel unter dem Buch hervor. Es war ein Fernschreiben. Er überflog es zuerst, dann las er es genauer und schließlich noch einmal Wort für Wort.

– achtung – stop – dr. thien, rolf, pk 070907-t-6985724 – liquidieren – stop – unauffällig – stop – erwarte sofortige ausführung und vollzugsmeldung – stop – gez. 518 – stop –

Thien war seit drei Wochen verschwunden, und das Fernschreiben war drei Wochen alt. Plötzlich fiel es Ludor wie Schuppen von den Augen. Rolf Thien war liquidiert worden.

Ludor begriff das Ganze noch nicht. Es war zu ungeheuerlich, als daß er es sofort begreifen konnte. Wer war 518?

Er legte das Fernschreiben wieder unter das Buch, wie er es vorgefunden hatte, und wollte gerade gehen, als sein Blick auf die Tür fiel.

Dort stand Professor Levèvre, stumm und regungslos wie ein Mahnmal. Er sagte nichts, sah Ludor nur an.

Ludor war klar, daß Levèvre gesehen haben mußte, wie er das Fernschreiben wieder unter das Buch gesteckt hatte. Er sah ein, daß es wenig Zweck hätte, zu leugnen. Levèvre kam auf ihn zu.

»Nun, Claus, haben Sie es gelesen?« fragte er kalt.

Ludor nickte stumm.

»Sie werden sicherlich wissen wollen, was das alles zu bedeuten hat. Stimmt's?«

»Ja«, sagte Ludor leise. Er wußte nicht, wie er sich verhalten sollte.

»Ich glaube kaum, daß Sie alles verstehen können, denn auch ich verstehe nicht alles, was hier geschieht, obwohl ich etwas länger mit diesen Sachen zu tun habe als Sie. Ich weiß nur, daß ich meine Befehle bekomme, die ich auszuführen habe und sonst gar nichts. Meine Befehle bekomme ich, wie Sie gesehen haben, aus dem Fernschreiber von 518, und der bekommt sie auch wieder von jemandem. Ich weiß nicht, wer 518 ist und wo er ist, aber ich weiß, daß ich das, was ich aus dem Fernschreiber bekomme, auszuführen habe. Egal, was es auch sei.«

»Bin ich auch bald an der Reihe?« fragte Ludor sarkastisch.

»Nein, Ludor, Sie nicht. Warum auch? Wir brauchen Sie ja noch, und zudem haben Sie sich ja noch nicht so viele unnütze Gedanken über unseren Staat gemacht. Sie haben bisher immer Ihre Arbeit getan, und das ist – das können Sie mir ruhig glauben – die beste Lebensversicherung, die es gibt.«

Er kam näher.

»Sehen Sie, Claus«, fuhr er fort, »es mag Sie verwundern, daß ich nun so offen zu Ihnen spreche, aber Sie haben nun einmal dieses Fernschreiben gelesen. Daran ist nichts mehr zu ändern. Und Sie sind ein hervorragender Wissenschaftler, den unser Staat braucht. Außerdem habe ich heute morgen Ihre Beförderung bekommen, damit sind Sie nicht nur der neue Leiter dieses Labors, sondern gleichzeitig Sicherheitsstufe drei. Das bedeutet, daß in Zukunft Sie solche Nachrichten bekommen werden.«

Ludor sah in ungläubig an.

»Was heißt Sicherheitsstufe drei?«

»Ich sagte Ihnen ja bereits am Anfang, daß es etwas

schwer verständlich ist. Es war für mich genauso. Zum Beispiel kann ich Ihnen jetzt auch sagen, daß jeder mit Abhöranlagen überwacht wird, Tag und Nacht. Natürlich nur stichprobenweise. Auch hier im Labor wird abgehört. Die Kontrollen werden allerdings immer spärlicher, je höher die Sicherheitsstufe ist.«

Levèvre räusperte sich.

»Jetzt haben Sie vielleicht auch für Thiens Tod eine Erklärung. Er mußte sterben, weil er sich immer öfter gegen unseren Staat aussprach, und er war unbrauchbar geworden. Wie man sieht, kommen Sie ja auch allein recht gut zurecht.«

»Das heißt, wenn ich irgendwann einmal keine richtige Arbeit mehr abliefere, werde ich auch verschwinden.«

Levèvre schüttelte den Kopf.

»Nein, Claus, so einfach dürfen Sie das nicht sehen. Erstens fehlt Ihnen Voraussetzung Nummer eins, nämlich die Staatsuntreue, und zweitens sind Sie jetzt Sicherheitsstufe drei und gehören damit zum Kreis derjenigen, die sich schon allerhand zuschulden kommen lassen müssen, ehe etwas unternommen wird.«

Ludor wunderte sich über die Ruhe, die Levèvre ausstrahlte.

»Sehen Sie, es kann ohne weiteres sein, daß auch dieses Gespräch abgehört wird. Aber es ist höchst unwahrscheinlich. Und selbst wenn es geschieht, schadet es auch nichts, weil ich Ihnen dies alles erzählen darf. Und Gedanken über unseren Staat darf ich mir auch machen. Hauptsache, ich verhalte mich letzten Endes loyal.«

»Haben Sie eigentlich keine Skrupel, einfach einen Mann umbringen zu lassen, nur weil es ein Fetzen Papier von Ihnen verlangt?«

»Nein, Claus. Denn auch ich lebe nur einmal. Sicher, es ist nicht richtig, und in meinem Innersten verurteile ich meine eigene Handlungsweise, doch mein Leben ist mir wichtiger. Genau wie Sie lebe ich recht luxuriös, habe eine hübsche Frau und kaum Sorgen. Soll ich das alles aufs Spiel setzen? Ich kann nun einmal nichts dazu, daß ich in einer solchen Zeit lebe. Waren Sie schon einmal in den Sektoren, wo neunzig Prozent unserer Bevölkerung leben? Waren Sie schon einmal dort, in diesem Elend, diesem Schmutz? Wo jeder verrecken kann, wenn er will oder muß?«

Ludor schwieg erschüttert.

»Wissen Sie eigentlich, wie unsere Bevölkerung in Grenzen gehalten wird?« fragte Levèvre aufgebracht.

Ludor schüttelte den Kopf.

»Jeder Bürger bekommt monatlich eine bestimmte Menge Paradieszigaretten, die ein leichtes Rauschgift enthalten. Nach ein paar Packungen sind die meisten abhängig. Jedes Jahr werden die Rationen drastisch gekürzt, und es kommt zu Ausfallerscheinungen. Diejenigen, die noch Zigaretten haben, werden wegen dieses Besitzes ermordet. Die, die keine mehr haben, werden halb wahnsinnig oder begehen Selbstmord, weil sie den Schmutz und Dreck um sich herum nicht mehr ertragen können. Nach einer Woche werden die Leichen abgeholt und gezählt. Beträgt die Anzahl zwanzig Prozent mehr als die Zahl der geschätzten Geburten, ist alles in Ordnung! Beträgt sie aber weniger, wird die Aktion nach ein paar Wochen wiederholt. So macht man bei uns Bevölkerungspolitik.«

Ludor hatte sich inzwischen gesetzt. Es war zuviel für ihn. Was hatte er eigentlich bisher gedacht? In welcher Scheinwelt hatte er gelebt? Konnte das alles wahr sein, was Levèvre ihm da erzählte, oder träumte er? Nein, es war kein Traum, es war die Wirklichkeit. Auch ihm kam es vor, als sähe er plötzlich den ganzen Schmutz, in dem er jahrelang gelebt hatte.

»Wer veranlaßt das alles, Professor?« fragte er, ohne eigentlich eine Antwort zu erwarten.

»Ich habe Ihnen schon gesagt, daß ich das auch nicht weiß«, antwortete Levèvre. »Ich bekomme meine Anweisungen von 518, und wenn ich Glück habe, werde ich selbst bald 518 sein. Mehr kann ich Ihnen auch nicht sagen. Vielleicht bin ich in ein paar Wochen klüger ...«

Er drehte sich um.

»Wir haben genug geredet. Da Sie ja so gut vorangekommen sind, werden wir morgen gleich den ersten Versuch machen. Ich sehe Sie morgen um neun im Labor, Claus. Gute Nacht und ... denken Sie nicht soviel darüber nach. Es ist besser so.«

Dann war Levèvre wieder verschwunden. Genauso unauffällig, wie er gekommen war.

Es hätte tatsächlich ein Traum sein können, wenn auf dem Schreibtisch vor Ludor nicht immer noch das Fernschreiben gelegen hätte. Er ging die Treppen hinunter, wortlos an dem Portier vorbei und stieg in seinen Wagen.

Er griff sich an den Kopf, als wollte er alles vertreiben, was er gehört und gesehen hatte. Doch es gelang ihm nicht. Immer wieder sah er das Fernschreiben vor sich, hörte er die Worte von Levèvre ...

Einsam und innerlich ausgebrannt fuhr er in die Nacht.

Brütend lag die heiße Mittagssonne über dem Sektor 43.

Die Arbeiter, die an dem neuen Hochhaus bauten, das dort in den Himmel wuchs, wo noch ein paar Monate zuvor eine zerfallene Holzhütte gestanden hatte, lagen schwitzend und matt im Schatten.

Von diesem Platz aus hatten Peter Hansson und Sybille ihren Weg nach Süden begonnen.

Die Stimmung der Arbeiter war trotz des kräftelähmenden Wetters nicht schlecht. Schon seit zwei Wochen gab es wieder ausreichende Portionen an Paradieszigaretten, und auch das Synth-Bier war überall zu haben.

An manchen abgelegenen Plätzen erinnerten eingeschlagene Fensterscheiben an den Wahn, der noch vor weniger als einem Monat hier geherrscht hatte.

Auch einer der Vorarbeiter, Stefan Borodin, ein stämmiger Mittdreißiger, erinnerte sich mit Schrecken an diese

Zeit. Er selbst war nur mit Mühe einer Bande von Totschlägern entkommen, die sich anscheinend zusammengetan hatten, um allein umhergehenden Personen die letzten Zigaretten aus der Tasche zu ziehen und sie anschließend umzubringen.

Stefan Borodin wohnte selbst in einem der vielen Hochhäuser im Sektor 43. Er hatte zwei Kinder, die beide legal waren, also aus einer vom Staat genehmigten Ehe stammten.

Borodin hatte vor einem Jahr seine Frau verlassen und einen Antrag auf Neuerteilung gestellt. Er war in der letzten Zeit nicht mehr gut mit seiner Frau ausgekommen. Und da ja jede Ehe automatisch nach fünf Jahren geschieden wurde, wenn nicht beide Partner ausdrücklich darauf bestanden, zusammenzubleiben, waren Borodin und seine Frau in Frieden auseinandergegangen.

Borodins Kinder waren in einer staatlichen Erziehungsanstalt untergebracht und genossen die beste Ausbildung. Alle Kinder wurden im Alter zwischen drei und vier Jahren in solche Erziehungsanstalten gesteckt. Denn nur so konnte eine einwandfreie Ausbildung zu einem vollwertigen Mitglied der Gesellschaft erfolgen. Ausnahmen wurden in den Sektoren so gut wie nie gemacht. Die einzigen Kinder, die nicht so erzogen wurden, waren die Freikinder. Sie stammten aus nicht legalisierten Ehen und hatten so gut wie keine Chance auf einen Arbeitsplatz. Man ließ ihnen zwar durch Fernausbildung einiges Wissen zukommen, aber den wenigsten gelang der Sprung in die Gesellschaft.

Stefan Borodin war zum Glück nicht so abhängig von den Paradieszigaretten wie viele seiner Kollegen. Er wußte selbst nicht warum, aber er verbrauchte nur gut die Hälfte seiner Ration, die anderen schenkte er her oder sparte sie für schlechtere Zeiten. Er las gern und stöberte mit Vorliebe auf alten Dachböden herum, in der Hoffnung, hier und da noch etwas zu entdecken. Er sprach davon zu niemandem, denn das Lesen alter Bücher, die noch nicht unter staatlicher

Aufsicht herausgegeben worden waren, war strengstens untersagt.

Er beobachtete seine Kollegen, die dösend im Staub lagen. Er saß da, starrte sie an, dann auf den Boden, er sah in den Himmel, in die Sonne, die glühend auf ihn herunterbrannte. Vor seinen Augen tanzten schwarze Punkte.

Wie hatte es wohl früher hier ausgesehen? Hatte es schon immer die Hochhäuser gegeben, staubige Straßen, Gestank von toten Hunden und Katzen oder vom Kot der grauschwarzen Tauben? Riesige Müllkippen und alte Autowracks, schleimige Abwassergruben und graubraune Flüsse, die von der Industrie verpestet waren?

In Borodins Kopf wirbelte alles durcheinander. Was war plötzlich mit ihm los? Warum sah er alles so negativ?

Bisher hatte er 35 Jahre gelebt, ohne daß ihm sonderlich etwas aufgefallen wäre. War es das, was er in den alten Büchern las?

Der Nachmittag war eine Qual für Borodin. Er schuftete, ohne an seine Arbeit zu denken. Ständig wirbelten ihm Gedanken durch den Kopf, Gedanken an eine Welt, wie sie früher vielleicht einmal gewesen war.

Unentschlossen steckte er sich eine der Paradieszigaretten an. Bald verspürte er die entspannende und wohltuende Wirkung. Die Arbeit ging ihm wieder leichter von der Hand.

Erst nach Arbeitsschluß, als die Wirkung nachließ, begannen sich seine Gedanken neu zu formen. Gedanken an die alten Bücher, an die schrecklichen Wochen, die hinter ihm lagen, an herumliegende Leichen, die von der Müllabfuhr eingesammelt wurden.

Während er durch die überfüllten, staubigen Straßen schlenderte, fiel ihm plötzlich ein, woher er die Bilder hatte, die sich in seinem Kopf breitmachten. Bilder von klarem Wasser, von wilden Tieren und frischer Luft. Es war ein uraltes Buch gewesen ...

*Als die Indianer noch ein Volk waren, das träumte und glaubte,
sein Land und seine Bestimmung seien unteilbar ...*

Der große Häuptling in Washington sendet Nachricht, daß er
unser Land zu kaufen wünscht.

Wie kann man den Himmel kaufen und verkaufen – oder die
Wärme der Erde? Diese Vorstellung ist uns fremd. Wenn wir die
Frische der Luft und das Glitzern des Wassers nicht besitzen –
wie könnt ihr sie von uns kaufen?

Jeder Teil der Erde ist meinem Volk heilig, jede glitzernde
Tannennadel, jeder sandige Strand, jeder Nebel in den dunklen
Wäldern. Jede Lichtung, jedes summende Insekt ist heilig in den
Gedanken und Erfahrungen meines Volkes. Der Saft, der in den
Bäumen steigt, trägt die Erinnerung des roten Mannes.

Die Toten der Weißen vergessen das Land ihrer Geburt, wenn
sie fortgehen, um unter den Sternen zu wandeln. Unsere Toten
vergessen diese wunderbare Erde nie – denn sie ist die Mutter
des roten Mannes.

Wir sind ein Teil der Erde, und sie ist ein Teil von uns. Die
duftenden Blumen sind unsere Schwestern, die Rehe, das Pferd,
der große Adler – sie sind unsere Brüder. Die felsigen Höhen, die
saftigen Wiesen, die Körperwärme des Ponys – und des Menschen –, sie alle gehören zur gleichen Familie.

Wenn also der große Häuptling in Washington verlangt, daß
wir unser Land verkaufen – so verlangt er viel von uns.

Denn bald werdet ihr das Land überfluten, wie Flüsse hinab-
stürzen nach einem unerwarteten Regen. Mein Volk ist wie eine
ebbende Gezeit – aber ohne Wiederkehr.

Glänzendes Wasser, das sich in Bächen und Flüssen bewegt,
ist nicht nur Wasser, sondern das Blut unserer Vorfahren. Wenn
wir euch unser Land verkaufen, so müßt ihr wissen, daß es heilig
ist, und eure Kinder lehren, daß es heilig ist und daß jede flüch-
tige Spiegelung im klaren Wasser der Seen von Ereignissen und
Überlieferungen aus dem Leben meines Volkes erzählt.

Das Murmeln des Wassers ist die Stimme unserer Vorväter.

Die Flüsse sind unsere Brüder – sie stillen unseren Durst. Die
Flüsse tragen auch unsere Kanus und nähren unsere Kinder.

Wenn wir euch das Land verkaufen, so müßt ihr euch daran erinnern und eure Kinder lehren: Die Flüsse sind eure Brüder – ihr müßt den Flüssen Güte geben so wie jedem anderen Bruder auch.

Der rote Mann zog sich immer zurück vor dem eindringenden weißen Mann – so wie der Frühnebel in den Bergen der Morgensonne weicht. Aber die Asche unserer Väter ist uns heilig. Wir wissen, daß der weiße Mann unsere Art nicht versteht. Die Erde ist sein Bruder nicht, sondern Feind, und wenn er sie erobert hat, schreitet er weiter. Er läßt die Gräber seiner Väter zurück – und kümmert sich nicht.

Er stiehlt die Erde von seinen Kindern – und kümmert sich nicht. Er behandelt seine Mutter, die Erde, und seinen Bruder, den Himmel, wie Dinge zum Kaufen und Plündern.

Sein Hunger wird die Erde verschlingen und nichts zurücklassen als eine Wüste.

Es gibt keine Stille in den Städten der Weißen. Das Geklapper scheint unsere Ohren zu beleidigen. Was gibt es schon im Leben, wenn man nicht den einsamen Schrei des Ziegenmelkervogels hören kann oder das Gestreite der Frösche am Teich bei Nacht?

Ich bin ein roter Mann und verstehe das nicht. Der Indianer mag das sanfte Geräusch des Windes, der über die Teichfläche streicht, und den Geruch des Windes, gereinigt vom Mittagsregen oder schwer vom Duft der Kiefern.

Die Luft ist kostbar für den roten Mann – denn alle Dinge teilen den gleichen Atem, das Tier, der Baum, der Mensch.

Der weiße Mann scheint die Luft, die er atmet, nicht zu bemerken; wie ein Mann, der seit vielen Tagen stirbt, er ist abgestumpft gegen Gestank.

Aber wenn wir euch unser Land verkaufen, dürft ihr nicht vergessen, daß die Luft kostbar ist. Der Wind gab unseren Vätern den ersten Atem und empfängt den letzten. Und wenn wir euch unser Land verkaufen, so müßt ihr es als ein besonderes und geweihtes schätzen, als einen Ort, wo auch der weiße Mann spürt, daß der Wind süß duftet von den Wiesenblumen.

Der weiße Mann muß auch die Tiere behandeln wie seine

Brüder. Denn was ist ein Mensch ohne die Tiere? Wären alle Tiere fort, so stürbe der Mensch an der großen Einsamkeit des Geistes. Was immer den Tieren geschieht, geschieht bald auch den Menschen.

Lehrt eure Kinder: Die Erde ist eure Mutter. Wenn Menschen auf die Erde spucken, bespeien sie sich selbst.

Denn das wissen wir – die Erde gehört nicht den Menschen, der Mensch gehört der Erde. Alle Dinge sind miteinander verbunden. Was die Erde befällt, befällt bald auch den Menschen.

Der Mensch schuf nicht das Gewebe des Lebens, er ist darin nur eine Faser. Was immer ihr dem Gewebe antut, tut ihr euch selbst an.

Mein Volk fragt: Was will denn der weiße Mann kaufen?

Wie kann man den Himmel oder die Wärme der Erde kaufen oder die Schnelligkeit der Antilope? Könnt ihr denn mit der Erde tun, was ihr wollt? Nur weil der rote Mann ein Stück Papier unterzeichnet und es dem weißen Manne gibt?

Wenn wir die Frische der Luft und das Glitzern des Wassers nicht besitzen, wie könnt ihr sie von uns kaufen?

Könnt ihr die Büffel zurückkaufen, wenn der letzte getötet ist?

Warum soll ich trauern um den Untergang meines Volkes? Völker bestehen aus Menschen – nichts anderem. Menschen kommen und gehen wie die Wellen des Meeres. Eines wissen wir, was der weiße Mann vielleicht nie entdecken wird: Unser Gott ist derselbe. Ihr denkt vielleicht, daß ihr ihn besitzt – so wie ihr unser Land zu besitzen trachtet –, aber das könnt ihr nicht. Er ist der Gott der Menschen – aller Menschen.

Auch die weißen Männer werden vergehen, eher vielleicht als andere Stämme. Fahret fort, euer Bett zu verseuchen, und eines Tages werdet ihr im eigenen Abfall ersticken. Aber in eurem Untergang werdet ihr strahlen, angefeuert von der Stärke Gottes, der euch in dieses Land brachte und euch dazu bestimmte, über den roten Mann zu herrschen. Diese Bestimmung ist uns ein Rätsel.

Wenn alle Büffel geschlachtet sind, die wilden Pferde gezähmt, die heimlichen Winkel des Waldes schwer vom Geruch des Men-

schen und der Anblick reifer Hügel geschändet von rostigen Drähten, dann bedeutet dies das Ende des Lebens und den Beginn des Überlebens.

Gott gab euch die Herrschaft über die Tiere, die Wälder und das Wasser. Vielleicht könnten wir das alles verstehen, wenn wir wüßten, wovon ihr träumt – welche Hoffnungen ihr euren Kindern an langen Winterabenden schildert, so daß sie sich nach einem Morgen sehnen.

Selbst der weiße Mann kann seiner Bestimmung nicht entgehen. Vielleicht sind wir doch Brüder. Wir werden sehen ...

Borodin war inzwischen zu Hause angekommen. Noch immer in Gedanken versunken, schloß er die Wohnungstür auf. Sein Blick fiel zuerst auf den hölzernen Tisch, der in der Mitte des Zimmers stand. Es lag ein Brief darauf. Bestimmt hatte ihn der Hausverwalter hingelegt. Er öffnete ihn. Es war die Genehmigung zu einer neuen Heirat. Elly, seine derzeitige Freundin, hatte die besten Voraussetzungen, seine Frau zu werden. Nicht nur die psychologischen Übereinstimmungsmerkmale waren gegeben, auch vom genetischen Gesichtspunkt war alles in Ordnung.

Befriedigt legte Borodin das Schreiben beiseite. Elly mußte bald kommen. Sie arbeitete in der Zentralregistratur der Sektorenverwaltung, einem riesigen steingrauen Gebäude außerhalb des Stadtzentrums.

Während Borodin sich umzog, fiel sein Blick auch auf die kleine Kiste, in der er unter Wäschestücken und allerhand Kleinkram seine Bücher verbarg, die er gesammelt hatte. Der Deckel war nur zugeklappt.

Hatte er den Deckel offen gelassen? Normalerweise tat er so etwas nicht.

Der Klang der Türglocke ließ ihn herumfahren. Er sah auf die Uhr. Elly konnte es noch nicht sein. Sie hatte erst in fünf Minuten Schluß.

Borodin öffnete. Er hatte ein ungutes Gefühl.

Vor der Tür standen drei Männer, die unschwer als Beamte des Staatlichen Sicherheitsdienstes zu erkennen waren.

»Sie sind Stefan Borodin?«

Er nickte.

»Ja, warum?«

»Zu Fragen haben Sie später Zeit. Bitte ziehen Sie sich fertig an, und kommen Sie mit.«

Borodins Gehirn arbeitete fieberhaft. Es hatte im Augenblick keinen Wert, weitere Fragen zu stellen. Er hätte sowieso keine Antwort bekommen. Mit dem Sicherheitsdienst war nicht zu spaßen.

Er zog sich fertig an und folgte dann den drei Uniformierten.

Im Treppenhaus begegneten sie noch ein paar Nachbarn, die gerade von der Arbeit nach Hause kamen. Keiner sagte einen Ton, sie blickten Borodin nicht einmal an. Niemand wollte ihn kennen. Es war, als habe er noch nie hier gewohnt.

Warum sprach man nicht mehr mit ihm? Sollte das Ganze doch mit seinen Büchern zu tun haben? Ihm fiel ein, daß er gar nicht nachgesehen hatte, ob überhaupt noch alle Bücher vorhanden waren.

In dem bekannten rot-schwarzen Wagen des SSD wurde er in die Sektorenverwaltung gebracht.

Sie stiegen gerade aus, als Borodin Elly aus dem Gebäude kommen sah. Er winkte ihr und rief ihren Namen.

Sie sah ihn kurz an, dann drehte sie sich um.

Also kannte auch Elly ihn nicht mehr.

Langsam keimte in Borodin ein Verdacht, der zu schrecklich war, um ihn weiterzudenken.

Er konnte sich dunkel daran erinnern, daß er Elly einmal erzählt hatte, was er in der Kiste aufbewahrte. Aber sie hatte sich nie dafür interessiert und ihm nur geraten, mit niemandem darüber zu sprechen. Und das hatte Borodin auch getan. War er wegen der Bücher verhaftet worden? Dann mußte ihn Elly verraten haben.

Seine frühere Frau konnte es nicht gewesen sein, denn sie selbst hatte oft darin gelesen, und sie hatten sich beim Auseinandergehen geschworen, nie davon zu erzählen. Er hätte auf Sigrid hören sollen.

Was mochte sie wohl jetzt tun? Ob sie schon wieder einen Mann gefunden hatte? Eigentlich tat es ihm manchmal leid, daß sie sich getrennt hatten. Gab es nicht in jeder Gemeinschaft Reibereien?

»Setzen Sie sich endlich, oder wollen Sie noch länger in der Gegend rumstehen?«

Borodin war aus seinen Gedanken geholt worden. Er setzte sich. Ihm gegenüber saß ein kleiner glatzköpfiger Mensch mit Brille.

Das Zimmer war weiß gestrichen, und es lag der muffige Geruch von alten Akten in der Luft.

»Ihr Name ist Stefan Borodin?« fragte der Glatzköpfige.

Borodin nickte.

Der Mann sah ihn scharf an, dann blätterte er in einem Stoß Papier, der vor ihm auf dem Schreibtisch lag.

»Nun, Borodin, dann wollen wir gleich zur Sache kommen!«

Er zog aus einer Schreibtischschublade ein Buch hervor.

Borodin zuckte zusammen. Es war das Buch, das er erst vor kurzem gelesen hatte.

»Haben Sie etwas dazu zu sagen?«

Borodin zuckte mit den Schultern. Er wußte, daß Leugnen keinen Zweck hatte.

»Es gehört mir, ich habe es gefunden.«

»Fein, dann wäre ja alles geklärt. Wie Sie sich sicherlich denken können, war es nicht das einzige Buch, das wir bei Ihnen gefunden haben. Sie wissen auch, daß das Lesen von staatlich nicht genehmigten Büchern verboten ist.«

Borodin gab darauf keine Antwort. Er sah an dem Glatzkopf vorbei durch das Fenster, das einen kleinen Ausschnitt des gegenüberliegenden Gebäudes freigab. Es schien ihm, als sei die Luft trübe.

»Ich fürchte, Sie begreifen nicht ganz, in welcher Situation Sie sich befinden!« fuhr ihn der Glatzkopf an. »Sie haben offen zugegeben, solche aufrührerischen Bücher gelesen zu haben. Das bedeutet mindestens zehn Jahre Zwangsarbeit.«

Langsam hob Borodin den Kopf und sah sein Gegenüber an.

»Ich weiß, und ich kann daran nichts ändern. Ich lese nun einmal, deshalb habe ich es ja gelernt.«

»Was Sie lesen, ist Sache des Staates, Borodin. Er entscheidet, was für Sie gut ist!«

»Wenn Sie meinen ...«, sagte Borodin ruhig.

Der Glatzkopf bekam einen roten Kopf.

»Können Sie mir vielleicht sagen, woher Sie diese Information haben, ich meine, daß ich solche Bücher lese.«

»Das würde auch nichts mehr ändern.«

»Für mich schon«, entgegnete Borodin.

Er hatte verstanden. Sein Verdacht hatte sich bestätigt. Es mußte Elly gewesen sein.

»Ich ...«, fing Borodin an.

»Ja?«

»Ich möchte nur sagen, daß ich mich unschuldig fühle.«

»Sagen Sie es ruhig, Borodin!« sagte der Glatzkopf und fing schallend an zu lachen. »Sie glauben wohl, ich klopfe Ihnen jetzt auf die Schulter und lasse Sie laufen?«

»Das erstere können Sie ruhig sein lassen«, entgegnete Borodin ruhig.

»Ich sehe, Sie sind durch diese Bücher schon grundlegend verdorben. Um zu verhindern, daß Sie noch andere ordentliche und arbeitsame Mitglieder unserer Gesellschaft anstecken, werde ich Sie aus dem Verkehr ziehen müssen. Ich werde Sie am besten in ein Arbeitslager stecken. Vielleicht haben Sie dort genügend Zeit, wieder zur Vernunft zu kommen.«

Borodin stand auf. Er lächelte.

»Wissen Sie, vielleicht mag es für Sie verwunderlich klin-

61

gen, aber Sie tun mir leid. Sie haben wohl noch nie solche Bücher gelesen. Und wenn ... dann haben Sie sie bestimmt nicht verstanden. Sie kennen nur Ihre Anweisungen, sonst nichts. Ansonsten laufen Sie unter staatlicher Aufsicht herum, mit einem Balken vor dem Kopf. Und das schlimmste dabei ist, daß Sie sich wahrscheinlich auch noch großartig dabei vorkommen. Wenn Sie wüßten, wie blind und dumm Sie eigentlich sind, würden Sie sich selbst zu Zwangsarbeit verurteilen.«

Borodin atmete durch. Es hatte ihm wohlgetan. Endlich hatte er einmal das gesagt, was er dachte.

Der Glatzkopf schnappte nach Luft. Sein Mund stand weit offen, wie das Maul eines erstickenden Fisches.

Es sah aus, als würde er jeden Moment platzen.

»Raus!« schrie er. »Führen Sie dieses ... dieses staatsgefährdende Subjekt aus meinem Zimmer und werfen Sie ihn in das dreckigste Loch, das wir haben!«

»Da werden Sie sicherlich nicht lange suchen müssen.«

Als Antwort erhielt er darauf einen Schlag gegen das Kinn. Zwei Beamte packten ihn und schleiften ihn hinaus.

Die Zelle, in die man ihn steckte, war tatsächlich ein Dreckloch. Sein Vorgänger schien von Toilette nicht viel gehalten zu haben. Es stank grauenerregend.

Borodin setzte sich auf einen verschimmelten Holzhokker.

Er blickte zu dem kleinen Luftloch hinaus, durch das dünn ein Lichtstrahl fiel.

Würde er hier jemals wieder herauskommen?

Gelbrot ging die Sonne über dem Mittelmeer auf.

Es war sechs Uhr morgens, und die Straßen Marseilles waren noch leer, als Ludor seinen Wagen vor dem staatlichen Labor abstellte.

In den Versuchsräumen erwartete ihn bereits Professor Levèvre. Ludor erwiderte seinen Gruß und setzte sich. Man merkte beiden nichts an von dem, was sich noch vor weniger als vierundzwanzig Stunden an diesem Platz abgespielt hatte.

»Nun, Claus«, begann Levèvre, »heute werden wir sehen, wie Ihr Mittel wirkt.«

»Haben Sie einen Patienten?« fragte Ludor teilnahmslos. Levèvre nickte eifrig.

»Ja, einen ganz jungen sogar. Wir werden sehen, wie er reagiert.«

Einen Augenblick später öffnete sich die Tür, und ein Sicherheitsbeamter kam herein. An seiner Seite stand ein vielleicht zwanzig Jahre alter Mann mit strohblondem Haar.

»Das ist Herr Hansson, er hat sich freiwillig zu dem Versuch gemeldet«, erklärte Levèvre.

Ludor musterte den Jungen. Er wirkte intelligent und sah auch keineswegs krank aus, höchstens ein wenig erschöpft.

»Wissen Sie, was das für ein Versuch ist, der Sie erwartet?« fragte Ludor den Jungen.

Der junge Mann schüttelte den Kopf.

»Nein, ich habe keine Ahnung. Aber ich dachte mir, es ist immer noch besser, sich für einen Versuch zur Verfügung zu stellen, als in irgendeinem Straflager zu verrecken.«

Ludor sah ihn erstaunt und gleichzeitig erschreckt an. Sein Blick schweifte zu Levèvre hinüber, der ihm auswich.

Ludor wandte sich an den Sicherheitsbeamten. »Würden Sie uns bitte einen Augenblick allein lassen?«

Der Beamte nickte und führte den Jungen wieder hinaus.

»Stimmt das, was der Junge gesagt hat?« fragte Ludor scharf.

Levèvre räusperte sich.

»Ich wollte zwar im Moment nicht darauf zurückkommen, aber jetzt zwingen Sie mich. Sie erinnern sich doch bestimmt an unser Gespräch von gestern abend. Was unser Staat braucht, sind gehorsame Bürger. Dies gilt für mich genauso wie für Sie und für alle anderen. Dieser Hansson hat einen Sicherheitsbeamten umgebracht und ist anschließend mit seiner Freundin über die Grenze seines Sektors geflüchtet. Natürlich wurden sie erwischt. Die armen Teufel wußten nicht, daß auch hinter der Sektorengrenze noch die gleiche Regierung das Sagen hat.«

Er machte eine kleine Pause.

»Dieser Hansson ist aber kein gewöhnlicher Mörder. Er hat da eine Geschichte geschildert, die wir ihm sogar glauben. Nur zugeben dürfen wir es nicht.«

»Natürlich nicht«, unterbrach ihn Ludor.

»Deswegen«, fuhr Levèvre unbeirrt fort, »werden wir ihn auch nicht in ein Straflager stecken, sondern geben ihm die Chance, wieder ein gutes und vollwertiges Mitglied unserer Gesellschaft zu werden.«

»Sie wollen also einen gesunden und geistig völlig intakten Menschen unter den Einfluß einer Droge stellen?« fragte Ludor.

»Warum nicht?« entgegnete Levèvre. »Er mag zwar für Sie gesund erscheinen. Aber für die Regierung ist er krank. Er wird immer wieder versuchen, gegen diesen Staat zu revoltieren. Und das müssen wir unterbinden. Am sichersten wäre natürlich ein Straflager. Aber durch Ihre Erfindung geben wir vielleicht Hunderten oder Tausenden solcher Menschen die Gelegenheit, für diesen Staat wieder tragbar zu werden.«

»Vielleicht sollte man – wenn es so viele Menschen gibt, die etwas gegen den Staat haben – am Staat etwas ändern«, sagte Ludor schroff. »Oder glauben Sie, daß diese Menschen für nichts und wieder nichts ihr Leben aufs Spiel setzen, nur um hier wegzukommen?«

»Ich habe Ihnen schon einmal gesagt, Sie sollen nicht soviel über unsere Regierung nachdenken, Claus!« Levèvres Ton war warnend.

»Ich habe meine Erfindung also gemacht, damit Leute wie dieser junge Mann, der nur eine eigene Meinung hat und aus diesem Land heraus möchte, zu willenlosen Sklaven gemacht werden?«

Levèvre stand auf und ging auf Ludor zu.

»Claus, nehmen Sie es nicht so schwer. Ich kann verstehen, daß für Sie seit gestern eine Welt zusammengebrochen ist ... aber wir leben nun einmal in diesem Staat, und dieser Staat verlangt das von uns. Wissen Sie, wie es anderswo aussieht?«

»Wie halten Sie das aus, Professor?« fragte Ludor verzweifelt. »Mit welchem Recht verlangt der Staat das von uns?«

Levèvre rieb sich das Kinn. »Ich würde sagen, mit dem Recht des Stärkeren.«

»Ich weiß nicht, was ich von Ihnen halten soll. Auf der einen Seite kann man mit Ihnen ganz vernünftig reden, auf der anderen Seite bringen Sie einen Menschen um, nur weil es ein Fernschreiben von Ihnen verlangt.«

»Das ist genau das, worauf es ankommt. Unbedingte Loyalität gegenüber dem Staat. Nur so können Sie nach oben kommen. Und nur wenn Sie oben sind, können Sie ein Leben führen, wie es Ihnen gefällt.«

»Auf Kosten von anderen«, sagte Ludor bitter.

»Claus, ich habe Ihnen schon einmal gesagt, daß ich mein eigenes Leben liebe. Mehr als alles andere. Denn ich habe nur eines. Und genau deshalb handle ich so.«

Er ging etwas im Labor umher; dann wandte er sich wieder an Ludor.

»Und ich halte es für das beste, wenn Sie meinen Rat befolgen. Am besten, wir fangen jetzt gleich mit den Versuchen an.«

»Nein!«

Ludor schüttelte den Kopf. Das ›Nein‹ hatte derart entschlossen geklungen, daß Levèvre unwillkürlich zusammengezuckt war.

»Wie meinen Sie das?«

»So, wie ich es sage, Professor. Ich werde diesen Versuch nicht durchführen. Zumindest jetzt nicht.«

»Gut, Claus, warten wir bis morgen. Meine Tage hier sind sowieso gezählt. Sie haben als Leiter des Labors natürlich das Recht zu bestimmen, wann die Versuche gemacht werden. Aber vergessen Sie nicht, auch Ihnen können Befehle erteilt werden von 518, und 518 ... das werde ich sein. Ich habe lange Geduld gehabt mit Ihnen, Sie sind ein hervorragender Wissenschaftler. Aber irgendwann wird es einmal ein schlimmes Ende nehmen. Nehmen Sie sich in acht, Claus!«

Ludor stand wortlos auf und ging hinaus.

Auf dem Flur steckte er sich eine Zigarette an. Gierig zog er den würzigen Rauch ein. Die Hände zitterten ihm.

Hatte sich denn plötzlich alles gegen ihn verschworen? Seit er wußte, wie Rolf umgekommen war, war ihm, als steckte er in einem Haufen Dreck, aus dem er nicht mehr herauskam.

Er hatte sich fest vorgenommen, den Versuch nicht auszuführen, unter gar keinen Umständen. Er wollte nicht, daß irgend jemand durch seine Erfindung einen Nachteil erlitt.

Ludor nahm noch einen Zug, dann trat er die halb gerauchte Zigarette aus.

Er brauchte jetzt erst einmal Zeit, Zeit, um alles Neue und Schreckliche zu verdauen, das er in den letzten Tagen erfahren hatte.

Er fuhr auf dem schnellsten Weg nach Hause.

Als er das Wohnzimmer betrat, saß Monique weinend auf der Couch.

»Monique, um Gottes willen, was ist denn?«

Ohne ihn anzusehen, gab sie ihm ein Blatt, das vor ihr lag. Ludor nahm es und las:

Im Interesse Ihrer Tochter Beatrice, geb. am 5. 5. 2036, wird hiermit angeordnet, daß Beatrice Ludor mit sofortiger Wirkung in eine staatliche Erziehungsanstalt eingewiesen wird. Nur durch diese Maßnahme ist gewährleistet, daß aus Ihrem Kind ein vollwertiger und rechtschaffener Bürger unseres Staates wird.
gez. Roberts, SSD

Ludor ließ den Brief sinken. Er sah Monique an, die immer noch weinte. Privatlehrer waren also nicht gut genug. Beatrice in eine staatliche Erziehungsanstalt!

Plötzlich hieb er mit der Faust auf den Glastisch, so daß die Zimmerleuchte, die am Rand gestanden hatte, heruntenfiel.

»Was wollt ihr denn noch, ihr Schweine?« brüllte er. »Langt es euch nicht, daß ihr Thien umgebracht habt? Müßt ihr jetzt auch noch mein Kind haben?«

Monique hatte aufgehört zu weinen. So hatte sie Claus noch nie erlebt. Und sie hatte sich auch nicht vorstellen können, daß es bei ihm jemals zu einem solchen Gefühlsausbruch kommen könnte.

Ludor sah an Moniques ängstlichem, teils verwundertem Gesichtsausdruck, daß sie ihn nicht verstand. Da er ihr von Thiens Ermordung noch nichts erzählt hatte, konnte sie es auch nicht verstehen.

»Ja, Monique, Rolf ist umgebracht worden. Er hatte sich zu viele Gedanken gemacht. Und außerdem kann ich die Versuche nun auch ohne ihn weiterführen. Man hat ihn ganz offiziell umbringen lassen. Ich habe es dir bisher noch nicht gesagt, weil ich selbst nicht wußte, was ich davon halten soll ... und weil wir abgehört werden.«

Den letzten Teil des Satzes hatte er etwas lauter gesagt.

»Ja, wir werden seit Jahren vom SSD abgehört, alles was in diesem Hause geschieht, ist öffentlich bekannt.«

Er drehte sich um und schrie in den Raum:

»Hört nur zu, ihr Schweine, ihr gottserbärmlichen Schweine!«

Genauso plötzlich, wie er gekommen war, war der Wutanfall wieder vorbei. Ein Gefühl der Leere breitete sich in Ludor aus. Er fühlte seine Ohnmacht gegenüber dem SSD. Irgendwie tat es ihm schon leid, daß er sich so offensichtlich und lautstark gegen den SSD geäußert hatte. Damit hatte er sich selbst einige Wege verbaut ...

»Was tun wir jetzt?« fragte Monique.

Ludor hob nur die Schultern. Dann gab er ihr ein Zeichen, mit ihm zu kommen.

Sie gingen gemeinsam hinunter ans Meer, das heute flach wie ein Spiegel vor ihnen lag.

»Ich hoffe, daß wir hier nicht abgehört werden.«

Er sah zu seiner Jacht hinüber, die majestätisch am Steg lag.

»Wärst du damit einverstanden, wenn wir hier alles aufgeben würden, Monique, aufgeben für unsere Freiheit?«

»Wie meinst du das?« fragte Monique erstaunt.

»Ich meine, wir sollten einfach mit unserer Jacht verschwinden. Weit fort, wo uns niemand findet.«

»Weißt du, wo wir sicher sind?«

»Nein«, sagte Ludor zögernd, »das ist es eben. Ich weiß auch nicht, was uns jenseits des Meeres erwartet. Aber ich hoffe immer noch, daß sich irgendwo auf diesem Planeten ein Stückchen Land finden läßt, auf dem Menschen in Freiheit leben können.«

»Und du meinst, das kann uns gelingen, trotz deines Wutausbruchs vorhin?«

»Irgendwie werden wir es schon schaffen, Monique«, sagte Ludor überzeugt.

Er nahm sie in die Arme und küßte sie.

»Ich lasse mir meine Tochter nicht wegnehmen, nicht von diesem Staat!«

»Wir müssen sehr vorsichtig sein, Claus. Damit es dir nicht wie Rolf ergeht.«

»Ohne mich können sie die Versuche nicht fortführen. Das wird uns genügend Zeit bringen. Außerdem bin ich ja schon Leiter des Labors. Ich glaube schon, daß ich da einiges machen kann.«

Er sah sie lächelnd an.

»Glaub mir, es wird gutgehen! Vielleicht haben wir auch Glück gehabt, und unsere Wohnung wurde gerade nicht bewacht. Schließlich können sie ja nicht alle Wohnungen zur gleichen Zeit abhören.«

»Hoffen wir es!« seufzte Monique.

Sie konnten nicht wissen, daß Ludors Wohnung gerade in dieser Woche nicht auf der Überwachungsliste stand.

Am nächsten Morgen fuhr Ludor wieder nach Marseille. Er hatte überlegt, was wohl besser durchzuführen sei: entweder gleich abfahren oder die ganze Sache ruhig und kühl zu planen.

Die erste Möglichkeit wäre zweifellos die sicherste gewesen, jedoch nicht die beste. Ludor setzte hauptsächlich darauf, daß sein Wutausbruch nicht abgehört worden war.

Dann standen ihm noch alle Wege offen.

Im Labor empfing ihn Levèvre freundlich. Ludor atmete auf.

»Guten Morgen, Claus. Wie ich sehe, haben Sie es sich nun doch anders überlegt.«

Er holte ein Fernschreiben aus einer der Schreibtischschubladen.

»Hier ist Ihre offizielle Ernennung zum Leiter dieses Labors!«

Ludors Miene hellte sich auf.

»Ich glaube, ich war gestern etwas zu aufgebracht, Professor. Es war alles etwas viel.«

Es gelang Ludor nur schwer, diese Worte glaubhaft über die Lippen zu bringen.

»Und was tun Sie jetzt, Professor?« fragte er dann.

»Ich werde woanders hingehen. Vielleicht erhalten Sie Ihre Befehle künftig von mir ... aber das habe ich ja schon gesagt.«

Ludor fühlte, daß der richtige Moment gekommen war. Anscheinend war er gestern tatsächlich nicht abgehört worden. Und jetzt, als Leiter des Labors, konnte er sich allerhand Freiheiten herausnehmen. In Ludors Kopf reifte bereits ein Plan, während ihn Levèvre in seinen neuen Tätigkeitsbereich einführte. Das meiste wußte er ohnehin schon.

»Ihre Befehle kommen alle aus diesem Fernschreiber; ansonsten brauchen Sie sich um keine Anordnungen zu kümmern.«

Er deutete auf den Fernschreiber, fast ehrfurchtsvoll.

»So, und jetzt lasse ich Sie allein, ich werde noch heute vormittag verschwinden, und Sie werden mich wahrscheinlich nie mehr sehen.«

Er reichte Ludor die Hand.

»Vielen Dank noch einmal, Professor ... für alles«, sagte Ludor lächelnd.

»Ist schon gut, Claus. Sie werden sich schon einleben.«

Als Levèvre gegangen war, machte es sich Ludor hinter dem Mahagonischreibtisch bequem. Jetzt gehörte auch er zu den Leuten, die Befehle ausgaben. Das Labor war ihm unterstellt. Aber wer steckte hinter 518? Und wer steckte hinter diesem ganzen System?

Warum hatte man ihm ausgerechnet eine solch verantwortungsvolle Position übergeben, wenn man gleichzeitig forderte, daß seine Tochter in eine Erziehungsanstalt kommen sollte?

Er schaltete das Videophon ein und drückte die Nummer des Bildungsministeriums in der zentralen Sektorenverwaltung.

Ein hübsches Mädchen erschien auf dem Bildschirm.

»Bildungsministerium, Sie wünschen bitte?« flötete sie hell.

»Kann ich Herrn Roberts sprechen, vom SSD?« fragte Ludor.

»Sofort, ich verbinde!« sagte sie schnell, und der Bildschirm wurde dunkel.

Sekunden später erschien ein kantiges Gesicht auf dem Bildschirm.

Die schwarzen Haare waren streng nach hinten gekämmt, und die dunklen, fast schwarzen Augen sahen Ludor scharf an. Der etwa vierzigjährige Mann meldete sich mit einer dunklen Stimme.

»Herr Roberts, Sie haben angeordnet, daß meine Tochter

in eine staatliche Erziehungsanstalt kommen soll. Ich hätte gern gewußt, warum das so plötzlich geschieht.«

»Moment, Herr Ludor, ich hole mir die Akte.«

Wenig später meldete er sich wieder.

»Wie ich den Unterlagen entnehme, gehören Sie seit kurzem zu einem Kreis der ausgewählten Leute. Nun, wenn ich das einmal erklären darf: Auch meine Kinder sind in staatlichen Erziehungsheimen. Und wissen Sie, warum? Weil ich keine Zeit mehr für sie habe. Mein Beruf und meine Stellung lassen das nicht mehr zu. Und genauso wird es Ihnen ergehen, wenn Sie erst einmal voll drin sind.«

Ludor versuchte, ein möglichst freundliches Gesicht zu machen. Es fiel ihm auch gar nicht so schwer, denn er fühlte sich unheimlich erleichtert. Das war es also gewesen! Er war froh, daß er sich gegenüber Levèvre so zurückhaltend geäußert hatte. Er hätte sich sonst alles kaputtgemacht. Eigentlich konnte jetzt seinem Plan nicht mehr viel im Weg stehen.

»Ja, es wird wohl das beste sein. Hauptsache, meine Tochter bekommt eine gute Ausbildung«, sagte Ludor freundlich. »Ich hätte nur noch eine Bitte. Ich bringe Beatrice persönlich vorbei. Ich hätte sie nur noch gern zwei Wochen bei mir, damit ich sie darauf vorbereiten kann. Sie ist ein sehr sensibles Kind, und eine plötzliche Trennung von ihrer Mutter wäre bestimmt ein Schock für sie.«

Roberts lächelte.

»Aber selbstverständlich, Herr Ludor. Sicher haben Sie einen maschinell geschriebenen Einweisungsbeleg bekommen. Das war natürlich ein Versehen. Persönlichkeiten wie Sie können selbstverständlich entscheiden, ob und wann ihr Kind in ein Erziehungsheim kommen soll. Die Formulierungen auf den Einweisungsformularen sind mehr für die gewöhnlichen Leute geschrieben. Ich darf mich also bei Ihnen entschuldigen.«

»Ich verstehe das durchaus, Herr Roberts. Nun ist ja alles geklärt. Ich werde meine Tochter so bald wie möglich vorbeibringen. Es geht nichts über eine geordnete Erziehung.«

»Ganz recht«, stimmte ihm Roberts zu, »es freut mich, daß Sie mit mir einer Meinung sind.«

Ludor verabschiedete sich und unterbrach die Verbindung.

Er hätte einen Luftsprung machen können. Seinem Plan stand nun nichts mehr im Weg. Er konnte alles in Ruhe vorbereiten. Die Welt sah schon wieder etwas besser aus. Und dieser schleimige Roberts würde seine Tochter niemals zu Gesicht bekommen. In zwei Wochen waren sie fort, irgendwo, wo es keine staatlichen Erziehungsanstalten gab. Kurz schlich sich in Ludors Gedanken die Vorstellung, daß die Macht des Staates vielleicht überall auf diesem Planeten galt, doch dann verscheuchte er diesen Alptraum. Das konnte und durfte nicht sein.

Ellen würde wahrscheinlich auch mitkommen wollen. Und dann dieser junge Mann ... er mußte sich einmal mit ihm unterhalten, ungestört und unbelauscht.

Heute mittag wäre eine gute Zeit dafür.

Es war kurz nach Mittag, als Ludor die kleine Zelle betrat, in der der junge Mann einsaß.

Von den feuchten Backsteinwänden bröckelten Stückchen ab, der ganze Raum war muffig und kühl.

Der junge Mann sah ihn gleichgültig an.

»Sie sind Hansson?« fragte Ludor.

Der junge Mann nickte.

»Ja, warum?« fragte er herausfordernd.

»Kommen Sie bitte mit!« forderte ihn Ludor auf und wandte sich wieder zur Tür. Der Posten, der draußen wartete, wollte gerade etwas sagen, als ihm Ludor das Wort abschnitt.

»Ich werde mit dem Gefangenen draußen reden, wir sind in einer halben Stunde zurück.«

Verwundert gab der Posten den Weg frei. Er sah den beiden nach.

»Ziemlich seltsam, der neue Chef«, murmelte der Posten.

Es war drückend heiß im Vorgarten des Labors.

Ludor ging mit Hansson zu einer Bank, die unter den Bäumen stand.

»Wieso haben Sie mich hierhergebracht? Soll das ein Versuch werden?«

Ludor schüttelte den Kopf.

»Nein, kein Versuch, zumindest nicht in dem Sinn, wie Sie vielleicht glauben. Ich kann jetzt nicht viel erklären, warum und wieso, aber glauben Sie mir: Ich stehe auf einer anderen Seite als Levèvre.«

Hansson sah ihn verständnislos an.

»Ich kann mir schon vorstellen, daß Sie mir nicht glauben«, fuhr Ludor fort, »aber wir haben, wie gesagt, wenig Zeit für Erklärungen. Ich hoffe, daß wir hier nicht abgehört werden. Ich möchte Sie hier herausbringen, ohne Versuche. Wir werden irgendwohin fahren, wo wir so leben können, wie wir möchten.«

Hansson glaubte, nicht richtig zu hören. Träumte er, oder saß er einem Spinner gegenüber, oder wollte man ihn in eine Falle locken?

Als hätte Ludor Hanssons Gedanken erraten, sagte er: »Es ist bestimmt kein Trick, ich habe diesen Staat genauso satt wie Sie, das können Sie mir glauben. Ich hole Sie in genau einer Woche hier raus. Bis dahin verhalten Sie sich ganz normal. Ich werde Sie ab und zu besuchen, um angeblich meine Versuchsvorbereitungen zu machen.«

Hansson nickte automatisch. Er verstand so gut wie gar nichts. Vielleicht war aber doch etwas Wahres dran. Dieser Ludor hatte ihn eigentlich schon bei seinem ersten Zusammentreffen überrascht.

»Und Sie haben keine Angst, einem Mörder zur Flucht zu verhelfen?« fragte Hansson kühl.

»Nein! Ich habe mir Ihre Akten angesehen, da steht auch Ihre Aussage drin. Und die klingt weitaus glaubwürdiger als die des Beamten.«

»Was ist mit Sybille?«

»Ihre Freundin?« fragte Ludor.

»Ja, und wenn ich tatsäcnlich gehe, dann nur mit ihr.«

»Ich kann Ihnen nichts versprechen, aber ich werde versuchen, Ihre Freundin auch noch zu finden!«

»Ich gehe nur mit ihr.«

»Sie sind ein verdammter Dickkopf, Hansson. Ich glaube, Sie schätzen Ihre Lage etwas falsch ein. Wenn ich einen Versuch mit Ihnen mache, sind Sie willenlos für immer.«

Hansson zuckte mit den Schultern.

»Na und? Vielleicht ist es das beste, willenlos zu sein, wenn man in diesem Staat leben muß. Und wenn ich mir überlege, daß Sybille vielleicht auch in einem solchen Dreckloch sitzt, will ich lieber verrecken, als sie zurückzulassen.«

Ludor stand auf.

»Ich sehe, Sie sind in Ordnung. Sie gefallen mir. Ich werde mich um Sybille kümmern, und sobald ich sie gefunden habe, gebe ich Ihnen Nachricht.«

Sie gingen wieder zurück, und Hansson blieb in der Zelle.

Wie mochte es Sybille jetzt gehen? Hatte sie denn nicht schon genug mitgemacht? Und jetzt steckte sie in einer Zelle, ohne Hoffnung und allein.

Und was hatte es mit dem Angebot von Ludor auf sich? Hansson konnte es sich einfach nicht vorstellen, daß es hier einen Menschen gab, der so dachte wie er.

Und dann ausgerechnet noch Ludor, der neue Leiter des Labors! Hansson hatte es von dem Posten erfahren.

Er schüttelte den Kopf. Er mußte abwarten bis nächste Woche.

Dann wüßte er mehr.

Seit Ludors Aufstieg zum Leiter des staatlichen Labors waren inzwischen genau acht Tage vergangen.

Er und Monique hatten sich schon gründlich auf die Flucht vorbereitet. Ellen war ebenfalls eingeweiht worden. Auch über die Hintergründe von Rolfs Tod. Seitdem war Ellen öfter bei ihnen zu Besuch. Sie fühlte sich nicht mehr richtig wohl in ihrem Haus.

Während Ludor seiner Arbeit nachging oder zumindest den Schein wahrte, besorgte Monique Vorräte an Lebensmitteln und Medikamenten.

An seinen freien Abenden überholte Ludor die Jacht und baute einen stärkeren Motor ein.

Auch Ellen hatte bereits das Notwendigste zusammengesucht, und sie war es auch, die an eine gründliche ärztliche Untersuchung für alle gedacht hatte.

Zufrieden lehnte Ludor an seinem Schreibtisch. Vor ihm lag eine alte detaillierte Seekarte mit den wichtigsten Daten über Riffe, Untiefen und Sandbänke. Er hatte sie von Ellen, die sie unter Rolfs Sachen gefunden hatte.

Ludor hatte noch keine Ahnung, wo sie eigentlich hinwollten. Das schwerste Stück würde wahrscheinlich die Straße von Gibraltar werden. Nicht etwa wegen der Witterung. Um diese Jahreszeit gab es dort so gut wie nie rauhe See. Ludor machte sich weit größere Sorgen um die Bewachung der Meerenge. Er wußte nichts Genaues davon, hatte aber schon einmal gehört, daß es dort kein Durchkommen gäbe. Auch die offiziellen Seekarten endeten an diesem Punkt. Der andere Weg, über den Suezkanal, war aber bestimmt noch besser bewacht. Da hätten sie sich gleich beim SSD melden können.

Ludor legte die Karte wieder beiseite. Er mußte sich noch um die Freundin von Hansson kümmern. Er hatte inzwischen herausbekommen, daß Sybille innerhalb des Sektors 56 in einem Frauengefängnis untergebracht war. Gestern hatte er bereits dem zuständigen Leiter ein Fernschreiben übersandt, daß Sybille so bald wie möglich zu Versuchszwecken in das staatliche Labor von Marseille überführt werden sollte.

Ludor war nahe daran, noch ein zweites Fernschreiben nachzuschicken, als der Fernschreiber zu rattern begann. Es kam von dem betreffenden Sektorengefängnis.

betr.: carsten, sybille, derzeit in haft, gemäß ihrer anfrage teilen wir ihnen mit, daß besagte person noch heute in begleitung zweier ssd-beamter ankommt.

wir hoffen ihnen hiermit gedient zu haben –

Es war schon gut, wenn man einigen Einfluß hatte, dachte Ludor. Anscheinend fragte niemand danach, warum er sich ausgerechnet für Sybille Carsten interessierte.

Er machte sich einen Kaffee, zündete sich eine Zigarette an, ohne jegliche Zusätze, und ging in seinem Büro auf und ab. Er mußte sich eingestehen, daß er nervös war. Zuviel konnte noch schiefgehen.

Ludor sah zu dem großen Fenster hinaus, das zum Meer hin lag.

Es war ein herrlicher Sommertag. Vereinzelt trieben Segelboote auf der silbernen Fläche des Meeres.

Das Videophon summte. Es war der Portier.

»Herr Ludor, hier sind zwei Beamte des SSD. Können sie heraufkommen?«

»Natürlich«, sagte Ludor erwartungsvoll.

Zwei Minuten später standen zwei stämmige SSD-Beamte vor ihm, von denen einer blöder aussah als der andere.

Und zwischen ihnen ein zierliches Mädchen, blaß, übernächtig und verstört. Die blonden Haare waren zerzaust.

»Setzen Sie sich!« sagte Ludor schroff und wies auf einen Holzstuhl. Er hatte absichtlich einen scharfen Ton angeschlagen.

»Sie können dann wieder gehen, meine Herren«, wandte er sich an die SSD-Leute.

»Würden Sie bitte noch die Überweisungspapiere unterschreiben?«

»Selbstverständlich, Sie sollen schließlich keinen Ärger haben, Ordnung muß sein. Nicht wahr, meine Herren?«

Ludor unterschrieb, daß er die Gefangene übergeben bekommen hatte. Zufrieden verließen die beiden Beamten den Raum.

Ein paar Augenblicke herrschte vollkommene Stille in dem Raum. Sie sahen sich an. Der Blick des Mädchens war ängstlich.

»Sie wissen, warum ich Sie geholt habe?«

»Nein«, sagte sie leise.

Ludor stand auf und schaute wieder aus dem Fenster.

»Sie hatten einen Freund bei sich, als Sie verhaftet wurden.«

Er drehte sich um.

Sybille Carsten sah ihn fragend an.

Was würde er ihr jetzt sagen? Hatte man Peter getötet? Was war mit ihm geschehen? Seit dem schrecklichen Schlag, der beide erfaßt hatte, wußte Sybille nichts mehr. Sie war erst wieder im Gefängnis aufgewacht.

Plötzlich fing sie an zu weinen. Sie ertrug das alles einfach nicht mehr.

Die Qualen beim Verhör, die lästigen Beamten, die sich einen Spaß daraus gemacht hatten, ihr in die Bluse zu greifen und dreckige Witze zu machen. Die endlosen Tage im Gefängnis, wo sie mit Mörderinnen zusammenlebte.

»Was ist mit Peter passiert?« fragte sie schließlich unter Tränen.

»Sie brauchen sich keine Sorgen zu machen. Es geht ihm gut.«

Sybille atmete auf.

Seltsamerweise glaubte sie diesem Mann. Er strahlte Vertrauen aus.

»Ich werde jetzt einen Versuch mit Ihnen machen, deshalb sind Sie hier. Dazu werde ich Sie in einen anderen Raum bringen«, sagte Ludor ruhig.

Ohne Sybilles Antwort abzuwarten, gab er ihr einen Wink, ihm zu folgen.

Auch das war etwas, was für Sybille neu war.

Bisher waren immer zwei Wachen um sie herum gewesen. Hier wurde sie fast wie ein Gast behandelt. Hatte dieser Mann keine Angst, sie könnte fliehen? Vielleicht wußte er, daß sie im Moment gar nicht an Flucht dachte. Sie mußte erst wissen, was mit Peter war.

Sie folgte Ludor hinaus auf den Gang. Sie kamen an verschiedenen Zimmern vorbei, bis sie schließlich im Vorgarten des Labors standen.

Ludor hatte sich schon überlegt, ob er es wagen könnte, auch Hansson aus seiner Zelle zu holen. Es war zur Zeit ziemlich ruhig im Labor. Wer sollte jetzt in den Vorgarten kommen?

»Bitte setzen Sie sich hier auf die Bank und warten Sie. Ich bin gleich wieder da«, sagte Ludor und war wieder im Eingang des Labors verschwunden.

Ludor telefonierte vom Portiershäuschen aus mit dem Zellenaufseher. Wenige Augenblicke später stand Hansson vor ihm.

»Da sind Sie ja, Hansson!« sagte Ludor. »Heute werden wir den ersten Versuch machen.«

Er sprach so laut, daß es jeder hören mußte, der in der Nähe stand.

»Am besten, Sie kommen erst einmal mit mir nach draußen.«

Hansson durchschaute das alles noch nicht.

Doch in dem Moment, da er die heiße Mittagssonne auf dem Gesicht spürte, sah er auch die Bank, auf der er sich wenige Tage zuvor mit Ludor unterhalten hatte. Aber er sah nicht nur die Bank. Wer da saß, das konnte nur ... ja, es war Sybille!

Hansson durchfuhr es siedendheiß. Er sah Ludor kurz an. Ein flüchtiger Blick genügte, um ihm mitzuteilen, daß er ihm vertraute.

Hansson rannte los.

Es waren nur noch wenige Meter bis zur Bank.

Er rannte auf Sybille zu und umarmte sie.

»Sybille! Sybille, du bist da!«

»Peter, ich habe ja solche Angst um dich gehabt!«

Er schüttelte den Kopf.

»Wäre nicht nötig gewesen. Wie du siehst, lebe ich noch. Wie es dir geht, ist viel wichtiger.«

Sybille weinte. Vor Freude.

»Es ist alles wieder gut«, schluchzte sie.

Inzwischen war auch Ludor gekommen.

»Nicht so auffällig ... dies ist ein Versuch. Wenn jemand etwas anderes vermutet, komme ich in Teufels Küche ... und nicht nur ich!«

Hansson sah ihn an.

»Danke! Ich kann im Moment leider nicht mehr tun, aber glauben Sie mir, das vergessen wir Ihnen nie.«

»Ist schon gut«, wehrte Ludor ab. »Ihr wißt ja jetzt, daß alles glattgeht. In zehn Minuten hole ich euch wieder ab. In der Zeit können Sie Sybille alles erklären.«

Er drehte sich um.

»Übrigens, in sieben Tagen geht es los!«

Dann verschwand er.

Hansson erklärte Sybille alles.

Eine halbe Stunde später saßen sie beide wieder in ihren Zellen, getrennt.

Aber auch Sybille war nun im Labor, und Ludor war fest entschlossen, sie nicht mehr herzugeben. Denn noch einmal würde das bestimmt nicht klappen.

Bisher war alles gutgegangen, fast zu gut. Alle waren ärztlich untersucht worden, die Jacht befand sich in bestem Zustand und war mit modernstem elektronischen Gerät ausgerüstet. Benzin mußte Ludor noch besorgen, doch das war kein Problem für ihn. Ein paar tausend Liter mehr oder weniger in den Labortanks würden sicherlich kaum auffallen.

Sogar das Wetter spielte mit. Es war sonnig und warm, und es schien so, als würde die Wetterlage noch ein paar Wochen so bleiben.

Das Abenteuer sollte bald beginnen.

In den nächsten Tagen überschlugen sich die Ereignisse.

Zunächst bekam Ludor die Nachricht, daß noch ein weiteres Versuchsobjekt, ein gewisser Stefan Borodin, auf dem Weg nach Marseille sei. Doch schon wenige Stunden später kam ein Anruf, daß der Gefangene Borodin auf dem Transport ausgebrochen und geflüchtet sei.

In diesem Augenblick ahnte Ludor noch nicht, daß er noch einmal von Borodin hören sollte.

Doch auch ein Fernschreiben traf ein. Es stammte von 518. Man erkundigte sich, wie es mit den Versuchen voranginge.

Ludor schrieb ohne Zögern zurück, die Versuche machten gute Fortschritte, und er glaube, nächste Woche die ersten Ergebnisse präsentieren zu können.

Er hoffte, daß ihm noch genügend Zeit blieb, seine Vorbereitungen abzuschließen.

Ungefähr zur gleichen Zeit, als Ludor in Marseille zum ersten Mal den Namen Borodin hörte, lag ein Mann etwa hundert Kilometer entfernt in einer Bodenmulde und ruhte sich aus. Seit vier Stunden war er nun schon unterwegs, und es hatte sich noch kein Verfolger gezeigt.

Der Transport nach Marseille war die günstigste Gelegenheit gewesen zu entfliehen. Es waren nur zwei Bewacher bei ihm gewesen, und bei Borodins Kräften war es ein Kinderspiel, die SSD-Beamten zu überwältigen. Natürlich war es ihm klar, daß sich die beiden früher oder später befreien würden. Doch diese Zeit mußte ihm reichen, um unterzutauchen.

Und wie es im Moment aussah, hatte ihm die Zeit gereicht.

Er sah sich um.

Vor ihm, auf der Spitze eines Abhangs, stand eine kleine Villa, vielleicht war sie unbewohnt. Es war niemand zu sehen. Borodin überlegte, ob er ein solches Risiko eingehen sollte.

Seine Müdigkeit und sein Magen sagten ihm, daß er es tun sollte, doch sein Verstand riet ihm ab.

Borodin schlich sich dennoch an. Etwa hundert Meter vor der Villa konnte er in das Innere des Hauses blickte. Es regte sich nichts.

Obwohl sein Verstand ihn immer noch warnte, siegten die körperlichen Bedürfnisse. Er legte die letzten hundert Meter schnell zurück und stand schließlich vor der Terrassentür. Vorsichtig drehte er an dem Verschlußknopf. Die Tür war geschlossen. Doch Borodin gab nicht auf.

Er ging langsam und vorsichtig am Haus entlang. Er sah ein offenstehendes Fenster. Es wäre auch ein Wunder gewesen, wenn bei diesem Wetter alles verrammelt gewesen wäre.

Borodin öffnete das Fenster weiter, sah hinein und schwang sich schließlich über das Fensterbrett.

Er stand in einem mittelgroßen Zimmer, das gut, aber nicht luxuriös eingerichtet war.

Als er eine Weile ruhig dagestanden und gelauscht hatte, ging er weiter.

In der Küche plünderte er den Kühlschrank. Es tat gut, endlich wieder etwas Vernünftiges zu essen. Es waren vor allem Lebensmittel, die er zu Hause nur selten bekommen hatte.

Man merkte sofort, daß man sich hier nicht mehr im Sektor befand.

Borodin räumte gerade wieder auf, als er hörte, wie die Eingangstür aufgeschlossen wurde. Was sollte er tun?

Die Zeit reichte bestimmt nicht mehr aus, alles so herzurichten, wie er es vorgefunden hatte. Er räumte hastig alles zur Seite und verbarg sich schließlich hinter einem Vorhang, der im Wohnzimmer von der Decke bis zum Boden hinunter reichte.

Er hörte Schritte näher kommen, dann war Stille. Borodin wagte es nicht, hinter dem Vorhang vorzuschauen, man hätte ihn unweigerlich gesehen.

Ausgerechnet sein erster ›Einbruch‹ mußte gleich schiefgehen!

Plötzlich wurde mit einem Ruck der Vorhang weggerissen, und er stand ohne Deckung im Zimmer.

Ellen Thien war müde. Sie hatte den halben Tag und auch die Nacht zuvor in der Klinik gearbeitet. Sie freute sich auf ihr Bett. Da sie wußte, daß sie nur im Dunkeln schlafen konnte, war sie sofort ins Wohnzimmer gegangen, um die Vorhänge zurückzuziehen. Seit Rolf verschwunden war, schlief sie nur noch im Wohnzimmer. Sie fühlte sich dort nicht so allein.

Im ersten Augenblick war Ellen bestimmt genauso überrascht wie der stämmige Mann, der plötzlich im Zimmer stand.

Sie sahen sich beide einen Moment lang an.

Keiner bewegte sich.

Es war, als wäre der Vorhang immer noch zwischen ihnen. Keiner schien glauben zu wollen, daß er den anderen wirklich sah und akzeptieren mußte.

»Was wollen Sie hier?« fragte Ellen schließlich und merkte, daß ihre Stimme zitterte.

Borodin sagte nichts.

Was sollte er auch sagen? Er wußte nicht, mit wem er es zu tun hatte. Es war jedoch anzunehmen, daß es sich um die Frau eines höhergestellten Beamten handelte. Hier wohnten keine Leute wie er. Wer sich eine solche Villa leisten konnte, der hatte schon einigen Einfluß.

»Sie ... sind hier eingebrochen?« fragte Ellen überflüssigerweise.

Borodin nickte. Eigentlich hatte er sich einen Einbruch immer anders vorgestellt. Warum tat er nichts? Warum überwältigte er die Frau nicht einfach? Er merkte, daß er Angst hatte, Angst, wieder geschnappt zu werden.

Diesmal würde er nicht so glimpflich davonkommen.

Er wunderte sich auch, daß die Frau nichts unternahm. Warum stürmte sie nicht an das Videogerät, warum schrie sie nicht um Hilfe? Warum versuchte sie nicht einfach, wegzulaufen?

Statt dessen stand sie da und starrte ihn an, als käme er von einem anderen Stern.

Ellen Thien überlegte.

Was sollte sie tun? Einfach weglaufen konnte sie nicht mehr, der Fremde hätte sie sofort eingeholt.

»Also, was wollen Sie?« fragte sie schon etwas sicherer. »Wollen Sie Geld oder Schmuck?«

»Nein«, sagte Borodin wahrheitsgemäß. »Ich habe nur etwas gegessen, und ich würde es Ihnen auch gern bezahlen, wenn ich Geld hätte.«

»Gehen Sie eigentlich immer in fremde Häuser, um zu essen?«

»Nur wenn ich auf der Flucht bin«, antwortete Borodin und konnte sich ein Lächeln nicht verkneifen.

Er ging langsam auf sie zu.

»Bleiben Sie stehen!« Ellen hatte die Hände erhoben. Sie hatte plötzlich Angst bekommen.

Borodin blieb sofort stehen. Er wollte nicht, daß sich die Frau vor ihm fürchtete. Vielleicht hatte er doch noch eine Chance, unbemerkt zu entfliehen. Er würde sie fesseln müssen, um genügend Vorsprung zu gewinnen.

»Vor wem sind Sie auf der Flucht?«

»Ich bin aus dem Gefängnis ausgebrochen«, sagte Borodin.

Erst jetzt fiel Ellen auf, daß er eine Art Uniform trug, ein braunes Hemd und eine beige Hose, und auf beiden stand eine Nummer. War er ein Mörder?

Sie überlegte fieberhaft. War er ein kaltblütiger Verbrecher, würde er bestimmt nicht zögern, sie umzubringen, wenn sie ihm irgendwelche Schwierigkeiten machte. Aber andererseits hätte er das ja gleich machen können. Warum standen sie sich eigentlich gegenüber und unterhielten sich?

»Weswegen waren Sie im Gefängnis?« fragte sie.

»Ich habe zuviel gelesen«, antwortete Borodin.

»Was haben Sie?« Ellen glaubte, sich verhört zu haben.

»Ich las Bücher, gegen die einige Leute etwas einzuwenden haben«, fuhr Borodin ruhig fort.

»Und deswegen waren Sie im Gefängnis?« fragte Ellen ungläubig.

Sie konnte sich nicht vorstellen, daß ein Mann, breit wie ein Schrank, wegen des Lesens verbotener Bücher ins Gefängnis kam. Allerdings, das mußte sie zugeben, sein Benehmen, seine Sprache und alles, was sie empfand, wenn sie ihn musterte, deuteten nicht darauf hin, daß hier ein ungehobelter Klotz stand, der sein Gehirn in den Fäusten und Armmuskeln zu tragen schien.

»Und was schlagen Sie vor? Was sollen wir nun tun?«

Borodin zuckte mit den Schultern.

»Am leichtesten wäre es, wenn Sie mich einfach gehen ließen. Aber das kann ich mir kaum vorstellen.«

»Und warum nicht?« fragte Ellen herausfordernd. »Soll ich etwa versuchen, Sie festzuhalten?«

»Wenn ich jetzt einfach verschwinde, werden Sie den Sicherheitsdienst alarmieren. Ich brauche aber einen Vorsprung.«

»Ich werde den SSD nicht anrufen, darauf können Sie sich verlassen«, sagte Ellen bestimmt.

»Das glaube ich nicht – warum sollten Sie es nicht tun?«

»Ich tue es nicht, weil ich nichts mit dem SSD zu tun haben möchte.«

Sie zögerte.

»Warum erzähle ich Ihnen das eigentlich?«

Borodin ging zum Fenster.

»Ich kann mir nicht vorstellen, daß Sie mich einfach gehen lassen, als wäre nichts geschehen.

»Wann kommt Ihr Mann?« fragte Borodin plötzlich.

Ellen seufzte leicht. Sie hatte plötzlich das dringende Gefühl, diesem Mann alles zu erzählen, was mit Rolf geschehen war.

»Sie wissen zu wenig von mir, sonst könnten Sie das verstehen. Im übrigen glaube ich das, was Sie mir erzählt haben. Ich glaube nicht, daß Sie noch so ruhig hier stünden, wenn Sie ein wirklicher Verbrecher wären.«

»Ich bin aber einer«, antwortete Borodin.

»Für mich nicht. Sie können gehen ... ich wünsche Ihnen viel Glück. Sie werden es brauchen können.«

Borodin wußte nicht, wie er sich verhalten sollte. Wenn er ging, und der SSD war hinter ihm her, hatte er kaum eine Chance unterzutauchen.

Ellen Thien sah ihn an.

»Vielleicht ist es dumm von mir«, sagte sie, »aber ich mache Ihnen einen Vorschlag. In ein paar Tagen verschwinde ich sowieso von hier. Sie können hier wohnen, wenn Sie möchten. Suchen wird Sie hier bestimmt niemand.«

Jetzt war die Reihe an Borodin, verdutzt zu schauen. Konnte es so etwas geben? Jetzt wurde er auch noch aufgefordert hierzubleiben! Das mußte ein Trick sein!

»Ich kann nicht«, wehrte Borodin ab.

»Sie glauben mir nicht?«

Borodin schüttelte den Kopf.

»Versetzen Sie sich bitte einmal in meine Lage. Würden Sie das glauben?«

»Nein, wahrscheinlich nicht«, gab Ellen zu. »Von mir aus tun Sie, was Sie wollen, bleiben Sie hier oder verschwinden Sie. Es ist mir egal. Außerdem kann ich sowieso nichts dagegen unternehmen.«

»Und was ist mit Ihrem Mann?«

»Ich habe keinen Mann mehr«, sagte Ellen bitter.

Eine Weile herrschte absolute Stille. Borodin sah sie an. Sie war hübsch, hatte eine tadellose Figur. Sie sah nicht so aus, als ob sie jemanden hereinlegen würde. Doch auch Teufel konnten Engelsgesichter haben.

Ellen Thien schien seine Gedanken erraten zu haben.

»Hören Sie zu. Ich bin müde. Ich habe seit über dreißig Stunden nicht mehr geschlafen. Und wenn Sie es genau wissen wollen: Mein Mann wurde vom SSD ermordet, weil er sich zu viele Gedanken über unseren Staat machte. Und in ein paar Tagen haue ich ab, irgendwohin, wo ich meine Ruhe habe.«

Ellen war sich bewußt, daß sie mit diesen Äußerungen viel aufs Spiel setzte, aber wenn dieser Mann wirklich nur wegen des Lesens verbotener Bücher verhaftet worden war, konnte ihr keine Gefahr drohen. Wenn nicht, hatte sie eben Pech gehabt. Aber das war auch egal. Seit Rolf tot war, lebte sie sowieso nur noch vor sich hin.

»Wie wollen Sie von hier fortkommen?« fragte Borodin.

»Mit einem Schiff, aber erwarten Sie nicht, daß ich Ihnen noch mehr Einzelheiten erzähle. Wenn Sie wirklich derjenige sind, für den Sie sich ausgeben, werden Sie sicher nichts dagegen haben, wenn ich jemanden anrufe, der Ihnen vielleicht helfen kann.«

Sie ging zum Videophon und drückte Ludors Privatnummer.

Borodin unternahm nichts. Was sollte er auch tun? Er vertraute dieser Frau.

Der Bildschirm erhellte sich; Ludors Gesicht erschien.

»Hallo, Ellen, wie geht's?« fragte er gutgelaunt.

»Ganz gut, ich habe Besuch!«

»Wer ist denn der Glückliche?« fragte Ludor erstaunt. Seit Rolfs Tod hatte er ständig versucht, Ellen etwas aufzumuntern, jedoch ohne Erfolg.

Sie wandte sich um.

»Schreiben Sie bitte Ihren Namen auf!« forderte sie Borodin auf.

Ellen ging wieder zum Videophon und hielt den Zettel vor die Kamera.

Ludor las den Namen und zuckte zusammen. Er wußte Bescheid.

»Alles klar, Ellen, ich nehme an, du wolltest mir nur mitteilen, daß es dir jetzt wieder etwas besser geht. Bei mir ist alles in Ordnung. Ich komme heute abend einmal bei dir vorbei.«

Damit unterbrach er die Verbindung. Ellen hatte sehr umsichtig gehandelt. Die Tonkanäle konnten jederzeit abgehört werden, nicht aber die Bildkanäle. Und daß zur Zeit Thiens Haus noch überwacht wurde, war höchst unwahrscheinlich.

Auch Ellen wußte, daß Claus verstanden hatte.

»Es ist alles in Ordnung. Sie können hierbleiben, Herr Borodin. Hier sind Sie immer noch am sichersten. Was mich angeht, so gehe ich jetzt schlafen.«

Borodin stand nur da und sagte nichts. Es war zuviel für ihn. Konnte ein Mensch so viel Glück haben wie er?

Er nickte nur und ging dann in die Küche. Er mußte alles erst einmal überdenken.

Ellen schlief sofort ein. Borodin sah noch einmal nach ihr. Es war schon seltsam. Da stand er nun in einem fremden Haus, in das er eingebrochen war, und die Besitzerin legte sich in aller Ruhe schlafen. Doch auch Borodin fühlte Müdigkeit in den Knochen. Er legte sich auf die Couch in der Küche.

Hoffentlich geht alles gut! dachte er noch, dann war auch er eingeschlafen.

Nachdem Ludor Ellens Anruf bekommen hatte, sprach er erst einmal mit Monique.

»Ausgerechnet bei Ellen muß dieser Borodin Unterschlupf suchen! Das kompliziert die Sache.«

»Du glaubst, er könnte uns Schwierigkeiten machen?« fragte Monique.

Ludor schüttelte den Kopf.

»Das weniger. Aber er kennt unseren Plan. Wenn er dann geschnappt wird, kann es gefährlich für uns werden.«

»Und wie willst du verhindern, daß er etwas verrät?«

Er sah sie an und lächelte plötzlich.

»Wir nehmen ihn mit«, sagte er und tat so, als sei dies das Natürlichste der Welt.

»Du spinnst ja!« Monique winkte ab. »So langsam wird

unsere Fahrt zu einem Gesellschaftsausflug. Wir sind dann zu siebt!«

»Reichen die Vorräte?«

»Wenn wir sechs Erwachsene und Beatrice rechnen, dürften sie vier Wochen gut reichen.«

»Ich hoffe auch, daß wir nicht länger als vier Wochen unterwegs sind.«

»Und wegen dieses Borodin machst du dir sonst keine Sorgen?«

»Nein, was ich aus seinen Unterlagen erfahren habe, reicht mir. Er paßt sogar irgendwie zu uns. Und außerdem ... es kann nicht schaden, einen starken Mann mehr an Bord zu haben ...«

Endlich war der Tag gekommen.

Nachdem Ludor am Morgen wie gewöhnlich im Labor gearbeitet hatte, holte er mittags Ellen und Borodin ab und fuhr mit ihnen nach Hause.

Ellen und Borodin hatten die letzten Tage tatsächlich wie gute Bekannte verbracht, zumindest versicherte Ellen das. Doch Ludor konnte sich des Eindrucks nicht erwehren, als sei schon etwas mehr als nur eine Bekanntschaft daraus geworden.

Aber wenn er ehrlich war, mußte er zugeben, daß ihm dies im Moment herzlich egal war. Borodin machte einen guten Eindruck, und außerdem gab es andere Probleme.

Er checkte noch einmal die Anlage der SEAGULL durch und machte sich dann wieder auf den Weg ins Labor.

Er arbeitete bis kurz vor sieben. Die letzten Mitarbeiter des Labors waren bereits gegangen. Ludor war jetzt allein, abgesehen von dem Portier und dem Posten bei den Gefangenen.

Er sah noch einmal seinen Schreibtisch durch. Er sammelte sämtliche Unterlagen über seine Versuche, ging dann in die Laborräume und zerstörte sämtliche Substanzen, die er in jahrelanger Arbeit mit Rolf entwickelt hatte. Die Unterlagen zerriß er und warf sie anschließend in die automatische Müllverbrennungsanlage des Labors. In wenigen Sekunden war die Arbeit von Jahren zerstört. Doch das störte Ludor wenig. Er mußte an Rolf denken und dessen völlig unsinnigen und brutalen Tod. Rolf wäre mit seinem Handeln bestimmt einverstanden gewesen.

Nachdem er sicher war, daß nirgends mehr auch nur eine Spur von seinen Versuchen zurückgeblieben war, fuhr er mit dem Fahrstuhl zu den Zellen.

Der Zellenaufseher, der rauchend irgendeinen Groschenroman las, sah nur schläfrig auf, als Ludor ihm sagte, er brauche die Gefangenen für einen Versuch, den er heute nacht machen wolle. Der Posten legte den Roman mit dem Titel ›SSD-Agent Miller gegen die Freikinder‹ beiseite und öffnete unter Murren die Zellen.

Er ließ sich noch von Ludor den Übergabezettel unterschreiben, dann klemmte er sich wieder auf seinen Stuhl und las interessiert weiter.

Zufrieden ging Ludor mit Hansson und Sybille zum Fahrstuhl.

Sie fuhren wortlos in den Keller. Ludor benutzte den Hinterausgang des Labors, zu dem er einen Schlüssel hatte. So konnten sie auch nicht vom Portier gesehen werden.

Seinen Wagen hatte Ludor schon seit drei Tagen immer außer Sichtweite des Portiers geparkt, so daß es auch heute nicht aufgefallen war.

Heute mittag, kurz nachdem der Nachtportier seinen Dienst angetreten hatte, hatte ihn Ludor angerufen und mitgeteilt, daß er heute nacht arbeiten müsse und auf keinen Fall gestört werden dürfe.

Es war die Nacht von Samstag auf Sonntag, und so konnte Ludor ziemlich sicher sein, daß seine Flucht erst am Montagmorgen entdeckt werden würde.

»Und bis dahin sind wir schon seit Stunden weit fort«, dachte Ludor laut, als er die Küstenstraße entlangjagte.

Zum letzten Mal.

ZWEITES BUCH

Es dämmerte bereits, als die SEAGULL ablegte.

Das Meer war ruhig, jedoch war der Wind stark genug, daß sie Segel setzen konnten.

Ludor hatte die Rolle des Kapitäns übernommen, nicht zuletzt deshalb, weil die anderen, mit Ausnahme von Monique, vom Segeln keine Ahnung hatten. Aber Hansson und Borodin lernten schnell.

Gegen zwölf Uhr nachts gab es das erste Essen an Bord: deftigen Bohneneintopf.

Borodin übernahm die erste Wache. Eigentlich war es so gut wie unnötig, denn schlafen konnte in dieser Nacht sowieso niemand. Sie saßen an Deck, unterhielten sich und versuchten mehr über die anderen zu erfahren.

Erst als bereits die Morgendämmerung die See erleuchtete, legte sich Monique schlafen. Nicht lange danach folgten auch Sybille und Ellen.

Von Borodin hörte man nur ein leises Schnarchen. Er hatte es sich an Deck bequem gemacht. Hansson stand neben Ludor am Steuer.

»Wenn mich nicht alles täuscht, wird es noch Probleme mit der Schlafordnung geben«, sagte Ludor und sah auf die unendliche Fläche des Meeres. Steuerbord war im Morgendunst gerade noch die dunkle, schemenhafte französische Küste auszumachen.

Hansson nickte.

»Es gibt ja nur einen Schlafraum. Der würde zwar für uns alle reichen, aber ich glaube, auf die Dauer hält das niemand aus.«

Ludor lächelte.

»Es ist schon seltsam. Da befindet man sich auf der Flucht, hat alles aufgegeben und ist voller Hoffnung, bald irgendwo in Freiheit leben zu können ... und wir wälzen solche absurden Probleme!«

»Wieso absurd?« fragte Hansson. »Solange das Wetter gut ist, mag es ja gehen. Aber wenn wir einmal alle unter Deck schlafen müssen, vielleicht mehrere Tage, wird es ganz schön eng werden.«

»Sicher, Peter, aber ich finde, unsere Sache hat es verdient, daß man auch etwas dafür auf sich nimmt. Schließlich werden wir ja keine Ewigkeit unterwegs sein!«

»Das mag sein«, stimmte ihm Hansson bei, »aber ich finde, wir sollten doch einen Wachplan aufstellen. Er sollte auch die Zeiten regeln, in der die einzelnen in die Kajüte können.«

»Um dort ungestört zu sein?« fragte Ludor.

»Ja, warum nicht? Vielleicht bringen wir dann die Zeit etwas besser rum.«

Innerlich mußte er Hansson recht geben. Auch ihm wäre es lieb gewesen, einmal mit Monique ungestört zu sein.

»Also gut, dann arbeiten wir zusammen einen Plan aus, der alles regeln wird.«

»Fein«, sagte Hansson.

»Morgen werden wir die Straße von Gibraltar passieren.« Damit brachte Ludor das Gespräch auf ein anderes Thema.

»Du glaubst, wir schaffen es, ohne entdeckt zu werden?«

»Wir müssen es schaffen, Peter, es gibt keine andere Möglichkeit mehr.«

Er korrigierte den Kurs. Wenn sie die Geschwindigkeit beibehielten, würden sie kurz nach Mitternacht die Meerenge passieren.

Nachmittags hatte sich Ludor etwas schlafen gelegt. Jetzt stand er wieder frisch am Ruder.

Borodin hatte den Diesel abgestellt. Die SEAGULL lag auf

der Höhe von Gibraltar. Die See war rauher geworden. Kleine weiße Schaumkronen tanzten auf den Wellen. Der Himmel war leicht bewölkt.

In Ludors Gesicht stand die Spannung geschrieben. Es könnte gutgehen, wenn in den nächsten zwei Stunden der Mond nicht mehr hinter den Wolken hervorkam.

Zur Zeit war es stockdunkel. Man konnte das Land nicht erkennen. Die gesamte Mannschaft befand sich an Deck. Fast lautlos schwebte die SEAGULL über das Wasser.

»In zwei Stunden haben wir es geschafft«, sagte Hansson und blickte auf die Wolken, die zwar relativ dicht waren, aber keineswegs auf schlechtes Wetter schließen ließen.

Borodin warf ihm einen strengen Blick zu. »So etwas soll man nie sagen, bevor es wirklich geschafft ist!«

Monique hatte Beatrice ins Bett gebracht und kümmerte sich mit Ellen um das Abendessen. Heute sollte es Steaks geben. Allerdings erst nach Tarifa, dem letzten Kontrollposten des Europäischen Gesamtstaates.

Es geschah nicht das geringste. Gegen drei Uhr nachts verließ die SEAGULL das Mittelmeer. Sie hatte Tarifa hinter sich gelassen. Die See war noch etwas stürmischer geworden, der Atlantik begrüßte die Neuankömmlinge.

Die Bewölkung hatte sich zum größten Teil verzogen, und man sah die Sterne. Ludor vergewisserte sich, ob der Kurs stimmte, dann schaltete er auf automatische Steuerung um und ging in die Kombüse, um den Sekt zu holen.

Als er wieder hinaufkam, wurde er schon erwartet.

»Wir haben es geschafft!« sagte er und ließ die Korken knallen.

Sie prosteten sich zu.

»Auf die SEAGULL!« sagte Hansson.

»Auf uns alle und unsere Zukunft!« sagte Borodin und gab Ellen einen Kuß.

»Wann feiert ihr Verlobung?« fragte Ludor lächelnd.

»Haben wir schon getan, Herr Kapitän. Und wenn wir schon dabei sind ...«

Er sah Ellen an. Sie nickte ihm zu.

»... und wenn wir schon dabei sind, möchten wir dich in deiner Eigenschaft als Kapitän bitten, uns morgen zu trauen.«

»Fein!« rief Sybille und klatschte in die Hände. »Da gibt's ja was zu feiern!«

»Ich habe noch nie jemanden getraut«, warf Ludor ein.

»Das macht nichts, wir haben auch noch nie auf See geheiratet.«

Sie feierten noch bis zum Morgengrauen.

Dann übernahm Hansson mit Sybille die Wache.

Ellen und Monique machten es sich in der Kombüse bequem, während Borodin und Ludor an Deck schliefen.

»Morgen muß aber endlich der Wachplan ausgearbeitet werden«, murmelte Ludor verschlafen. Er warf sich noch ein paar Mal in seiner Hängematte hin und her, dann war auch er eingeschlafen.

Bereits der nächste Morgen hatte eine Überraschung bereit.

Es regnete in Strömen.

Borodin und Ludor hatten bereits seit dem frühen Morgen nicht mehr weitergeschlafen.

Völlig durchgenäßt waren sie in die Kombüse hinuntergegangen, wo Monique und Ellen noch ruhig schliefen.

»Ein Hundewetter!« schimpfte Borodin, während er sein klitschnasses Hemd auszog.

Ellen wachte auf und rieb sich verschlafen die Augen.

»Seid ihr ins Wasser gefallen?« fragte sie gähnend.

»So könnte man es auch nennen!« keifte Ludor. Er hatte irgendwie eine mordsmäßig schlechte Laune an diesem Morgen.

Der Tag wurde unendlich lang.

Ludor traute Ellen und Borodin, danach wurde etwas gefeiert. Aber irgendwie wollte die rechte Stimmung nicht aufkommen. Es schien, als wären alle zu erschöpft, irgend etwas zu unternehmen.

94

Sie waren jetzt bereits den dritten Tag auf See, und langsam machte es sich bemerkbar, daß die SEAGULL für sechs Leute eigentlich zu klein war. Doch der Gedanke an das Zurückliegende stiftete wieder Frieden.

Ludor arbeitete zusammen mit den anderen einen Wach- und Schlafplan aus, der zwar nicht allen Wünschen gerecht werden konnte, aber doch eine gewisse Zufriedenheit verbreitete.

Gegen Abend, Ludor hatte Borodin am Ruder abgelöst, hörte es auf zu regnen. Gleichzeitig begann die See schwerer zu werden.

Die Wellen kamen unregelmäßiger und stärker. Auch der Wind hatte aufgefrischt. Der Horizont hatte sich schwarz verfärbt.

»Sieht ja ziemlich bedrohlich aus«, sagte Ellen, als sie heraufkam.

Sie hatte eine enge weiße Seemannshose an und trug ein gelbes T-Shirt.

Seltsam! dachte Ludor. So habe ich Ellen noch gar nicht gesehen. Er hatte zwar schon immer gewußt, daß sie hübsch war, aber seit sie unterwegs waren, hatte sie auch etwas Farbe bekommen. Man sah ihr den Krankenhausdienst nicht mehr an. Wäre er nicht schon vergeben gewesen ...

Ein heftiger Schlag am Ruder ließ ihn aus seinen Gedanken hochschrecken.

Die SEAGULL schwankte.

Als die ersten Regentropfen auf das Deck niederprasselten, machte Ellen die Luken dicht und vertäute alles, was sich lose an Deck befand und nicht mehr in die Kombüse paßte.

Ludor leinte sich an. Der Wind wurde böig.

Monique kam bleich an Deck. Ihr war schlecht geworden.

»Mir geht es auch nicht viel besser«, sagte Ludor und schickte sie wieder in die Kombüse. Er konnte sich jetzt nicht um sie kümmern.

Er machte eine Handbewegung zu Borodin. Die Wogen

zerrten am Ruder, und er hatte die Befürchtung, daß er es nicht mehr lange allein halten konnte.

Eine riesige Woge erwischte die SEAGULL von der Seite.

Zischend schoß das Wasser übers Deck. Ludor war froh, daß er sich am Hauptmast angeseilt hatte.

Das Meer wurde von Sekunde zu Sekunde stürmischer.

»Alles unten bleiben!« schrie Ludor über Deck.

Borodin war inzwischen bei ihm und seilte sich ebenfalls an.

»Was meinst du – schaffen wir es?« fragte er.

Ludor zuckte mit den Schultern.

»Jeder fragt mich, ob wir irgend etwas schaffen! Woher soll ich das wissen?«

»Wir sollten besser noch das restliche Zeug runterholen!« schrie Borodin gegen das Getöse des Sturms an und deutete auf das Großsegel, das prall gespannt im Wind lag.

»Ja, ich bleibe hier und versuche den Kurs zu halten«, keuchte Ludor.

Borodin kämpfte sich vor. Er hatte gerade den Mast erreicht, als eine fürchterliche Welle die SEAGULL in Schräglage brachte.

Borodin wurde über Deck geschleudert und landete an der Reling. Das war sein Glück. Er wäre sonst unweigerlich über Bord gegangen.

Er rappelte sich wieder auf und erreichte schließlich noch einmal den Mast, an dem das Großsegel hing.

»Wenn ich das Zeug nicht bald runterkriege, reißt es uns den Mast ab!« schrie er.

Er keuchte und holte die Takelage ein.

Dann kroch er wieder zu Ludor, der am Ruder stand wie eine eiserne Statue. Nur nicht ganz so regungslos.

Sie hielten zu zweit das Ruder fest. Die SEAGULL hob und senkte sich in den Wellen.

Es war ein Inferno.

Die Wellen schäumten die Bordwände hoch und schlugen über dem Deck zusammen.

Die Fock knatterte im Sturm. Eine mächtige Bö riß drei Segeltaschen auf einmal aus.

»Wenigstens bekommen wir die Brecher von vorn«, sagte Ludor.

Er sah Borodin an. Er blutete aus der Stirn.

Borodin fuhr sich mit der Hand über die Stirn und sah das Blut am Handrücken.

»Ist halb so schlimm, ich spüre nichts«, sagte er trocken.

Sie kämpften weiter, gegen die See und gegen den Sturm. Noch wußte niemand, wer Sieger bleiben würde.

Es dauerte die ganze Nacht.

Dann plötzlich, als wäre alles nur ein böser Traum gewesen, war alles wieder ruhig. Die Wolkenwand löste sich auf, und die aufgehende Morgensonne färbte das Meer blutrot.

Die hölzernen Planken der SEAGULL dampften vom Regenwasser.

Die gesamte Besatzung war wieder an Deck.

Sogar die kleine Beatrice, die nur fragte, wer denn am Haus gerüttelt habe.

Sie mußten alle lachen. Es war ein befreiendes Lachen. Es war, als wären erst mit dem Sturm der Druck und die Angst von der Flucht genommen worden. Sie fühlten sich frei, stark und unabhängig.

Borodin zog die Segel wieder hoch, und die SEAGULL durchschnitt in rascher Fahrt die Wellen.

»Es ist kaum zu glauben«, sagte er, »erst Weltuntergang und jetzt alles wieder in bester Ordnung!«

Das Unwetter hatte trotz allem die gesamte Besatzung ziemlich mitgenommen.

Trotz seiner kleinen Verletzung, die Ellen liebevoll versorgt hatte, übernahm Borodin am Abend wieder die erste Wache. Bis auf ihn und Ellen waren alle in die Kombüse gegangen.

Ellen stand am Ruder.

»Soll ich nicht lieber ...?« fragte Borodin leise.

Ellen schüttelte den Kopf.

»Nein, du hast schon genug getan. Außerdem bist du verletzt. Versuch noch ein wenig zu schlafen. Ich wecke dich nachher.«

»Wenn du meinst!« sagte er lächelnd und fuhr ihr zärtlich durchs Haar.

Sie sah ihn an.

»So sieht also unsere Hochzeitsnacht aus. Das hätte ich mir auch nicht träumen lassen.«

»Ab Mitternacht haben wir die ganze Kombüse für uns«, sagte Borodin.

Er kam auf sie zu.

»Du, Ellen?«

»Ja?«

»Ich liebe dich. Mehr kann ich einfach nicht sagen.«

»Ich weiß ...«

»Manchmal denke ich, ich hätte dich vielleicht überrumpelt, als ich zu Claus sagte, er solle uns trauen.«

»Warum?« fragte sie.

»Na ja, ich meine, das mit deinem Mann ist ...«

Ein Schatten von Traurigkeit überflog ihr Gesicht.

»Das hat damit gar nichts zu tun. Ich habe Rolf geliebt und werde ihn auch immer lieben. Aber ich glaube, er würde nicht von mir verlangen, daß ich mich für den Rest meines Lebens in Trauer zurückziehe. Es mag vielleicht etwas hart klingen, aber das Leben geht weiter. Und ich fühle, mein weiteres Leben bist du, Stefan.«

Er umarmte sie.

»Du kannst dir gar nicht vorstellen, wie ich dich liebe!«

»O doch!« erwiderte sie. »Ich habe dich mindestens genauso lieb.«

»Geh jetzt ein wenig schlafen, es wird dir guttun«, sagte sie und gab ihm einen langen Kuß.

Borodin ging langsam zur Hängematte, die zwischen dem Hauptmast und der Kombüsentür aufgespannt war.

Er legte sich hinein und sah zum Himmel hinauf.

Es war klar, und die Sterne standen klein und glitzernd am Firmament. Die SEAGULL segelte einsam durch die unendliche Weite des Ozeans. Trotz der Anstrengungen, die hinter ihm lagen, konnte Borodin nicht schlafen.

Es war ein zu schönes Gefühl, wieder lieben zu können und von jemandem geliebt zu werden. Er war glücklich. Obwohl sie so klein waren, hatte er sich den Sternen noch nie näher gefühlt als in diesem Moment. Konnte er noch mehr verlangen?

Es war wärmer geworden: noch nachts mindestens zwanzig Grad.

Er atmete schwer durch. Es war, als entledige er sich aller Lasten, die ihn bisher bedrückt hatten. Er wußte noch genau, wie er als Kind immer den Winter gehaßt hatte, wie sehr er die ersten warmen Strahlen der Frühjahrssonne herbeigesehnt hatte, den Duft der ersten Blüten und das Zwitschern der Vögel.

Auch später noch, als er schon einen Beruf ausübte, hatte es immer wieder Momente gegeben, in denen er einfach alles hingeschmissen und in den blauen Himmel geschaut hatte.

Nur der blaue Himmel war seltener geworden. Er war von Jahr zu Jahr trüber geworden und immer öfter dunstig und verhangen.

Ein einzelner Stern leuchtete besonders hell. Und plötzlich befiel Borodin das Gefühl von Einsamkeit und Verlassenheit.

Er kam sich unendlich klein und unbedeutend vor. Was war er denn schon im Vergleich zu einem solchen Stern? War diese Welt, auf der er lebte, die einzige? Oder gab es vielleicht noch Tausende anderer Planeten, die auch bewohnt waren wie die Erde? Wie würden die Geschöpfe dort wohl leben?

Diese Sterne, diese Tausende von Sonnen, wie viele waren wohl schon erloschen, während nur noch ihr Licht zur Erde kam? Und wie viele mochten wohl gerade im Entstehen sein, deren Licht erst in Millionen von Jahren die Erde erreichen würde?

Es war ein unheimliches Gefühl. Wie winzig war doch der Mensch gegenüber dem All, gegenüber der unendlichen Kraft der Natur! Und doch kam er sich immer so großartig vor.

Was war denn schon die Erde? Nichts anderes als ein Staubkorn, von dessen Sorte es noch Milliarden gab. Es war irgendwie bedrückend, solche Größen und Dimensionen zu erkennen. Seine ganzen Probleme kamen ihm plötzlich so unwichtig vor, daß er darüber lächeln mußte.

Vielleicht sah irgendwo im All, auf irgendeinem Planeten auch ein Lebewesen zu den Sternen, vielleicht sah es auch den Stern, um den sich die Erde drehte. Und vielleicht hatte es denselben Gedanken wie er.

»Glaubst du an Gott?« hatte ihn Elly einmal gefragt, und er hatte mit nein geantwortet. Er glaubte nicht an Gott, zumindest nicht an den Gott, wie er jeden Sonntag von den Kirchen verkündet wurde.

Sicher, es hatte schon Situationen in seinem Leben gegeben, in denen er zu irgend etwas gebetet hatte, von dem er annahm, daß es ihm vielleicht helfen konnte. Aber wo sollte Gott sein? Ein alter Mann mit einem weißen Bart war er bestimmt nicht.

Doch wenn es wirklich einen Gott gab, wie er immer gepredigt wurde, war er entweder ein Trottel oder ein Verbrecher. Ein Trottel in dem Fall, daß er gar nicht so allmächtig war, wie es ihm immer angedichtet wurde, sondern daß auch er den Dingen seinen Lauf lassen mußte, und ein Verbrecher in dem Fall, wenn er alle Verbrechen, Folterungen, Morde, Kriege und Unglücke zuließ, ohne etwas dagegen zu unternehmen. Wo war denn der Gott der Liebe? Hätte es Gott zugelassen, daß nur wegen der Ankunft seines Sohnes Hunderte von unschuldigen Kindern abgeschlachtet wurden? Konnte Gott so grausam sein? Wenn ja, konnte es Borodin nur recht sein, wenn er nicht an ihn glaubte.

Andererseits fragte er sich auch oft, wer denn wohl das ganze All, die Welt, die Erde geschaffen hatte, wie alles entstanden war. Wo war die Welt zu Ende? Was kam danach? Niemals bekäme er wohl Antworten auf diese Fragen. Vielleicht waren die Menschen auch gar nicht in der Lage, diese Antworten zu verkraften. Vielleicht waren sie zu primitiv.

Auch Ellen hatte es sich ein wenig bequemer gemacht. Sie hatte die Automatik-Steuerung eingestellt und saß neben dem Ruder. Der leichte Wind blähte die Segel, die grauweiß im Licht des Mondes standen.

Es war still auf der SEAGULL.

Man hörte nur das leise Plätschern der Wellen am Bug, und ab und zu schnellte ein fliegender Fisch aus dem Meer, um sich dann wieder mit einem leisen Klatschen auf der Wasseroberfläche zu verabschieden.

Ellen ließ noch einmal die Ereignisse der letzten Wochen vor sich ablaufen. Hätte Rolf noch gelebt, er hätte diese Reise bestimmt mitgemacht. Nur – wenn Rolf noch lebte, hätte bestimmt niemand daran gedacht zu fliehen. Schließlich hatten sie alle nicht schlecht gelebt.

Und jetzt? Sie waren auf der Flucht, hatten alles aufgegeben. Sie wußten nicht, was sie erwartete.

Seltsamerweise mußte sie gerade jetzt an ihren Vater denken. Er war Industrieller gewesen. Und an Thomas. Ja, Thomas, den sie schon als kleines Kind gekannt hatte. Auch er hatte reiche Eltern gehabt, doch sein einziges Ziel war es gewesen, Leute darauf aufmerksam zu machen, daß sie vom Staat unterdrückt wurden. Sie hatte oft lange Gespräche mit ihm geführt.

Als ihr Vater herausbekam, daß sie ein Verhältnis mit einem solchen ›Subjekt‹ hatte, wie Vater Thomas immer zu nennen pflegte, zögerte er keinen Moment, sich von seiner Tochter loszusprechen.

Er hatte damals schreckliche Angst um seine Stellung. Da er aber sofort alle Verbindungen zu seiner Tochter abgebrochen hatte, blieb er auch weiterhin Direktor des staatlichen Maschinenkonzerns.

Ellen war damals von ihrem Vater sehr enttäuscht gewesen und hatte sich fest vorgenommen, mit Thomas zusammenzuleben. Doch ein Jahr später war Thomas plötzlich verschwunden. Sie hörte niemals wieder etwas von ihm.

Dann lernte sie im Krankenhaus den Praktikanten Rolf Thien kennen. Er war es, der ihr Sicherheit und Geborgenheit gegeben hatte, das, was sie vermißt hatte, seit ihr Vater nichts mehr von ihr wissen wollte.

Sie heirateten kurz darauf. Es war weniger eine Liebesheirat als eine Vernunftehe. Trotzdem war ihre Liebe in den fünf Jahren, in denen sie zusammengelebt hatten, immer mehr gewachsen.

Und jetzt? Sie begann mit dem dritten Mann in ihrem Leben einen neuen Abschnitt. Sie wunderte sich immer noch, daß sie sich so schnell in Stefan verliebt hatte. Bereits damals, als Thomas verschwunden war, wollte sie sich nie mehr Hals über Kopf in jemanden verlieben.

Menschen waren seltsame Geschöpfe. Da verliebte man sich und versicherte sich gegenseitig, daß man nie einen anderen lieben würde, und plötzlich schien alles vergessen zu sein. Das Leben ging weiter, die Wunden vernarbten, und sie vernarbten um so schneller, je mehr man sich treiben ließ.

Unten in der Kombüse war es stickig. Man merkte, daß die SEAGULL wärmere Gefilde erreichte.

Während Ludor und Monique schliefen, lag Peter Hansson immer noch wach. Sybille hatte sich neben ihm eingekuschelt und schlief.

Hansson beugte sich über sie und roch an ihrem Haar. Es hing noch der Duft von Regenwasser und salziger Luft darin.

Hansson war zufrieden.

Was wäre wohl aus ihnen geworden, wenn Claus sie nicht herausgeholt hätte? Hansson durfte das gar nicht zu

Ende denken. Sie wären durch Ludors Droge wahrscheinlich zu hirnlosen Idioten geworden, und Sybille und er hätten den Rest des Lebens im Gefängnis verbracht.

Wie war es wohl früher gewesen? Früher, als man noch die Meinung sagen konnte, als es noch ordentliche Gerichte gab. Es mußte eine herrliche Zeit gewesen sein!

Hansson fragte sich manchmal, wie es wohl dazu gekommen war, daß ein derartiges Regime aufgebaut werden konnte. Sicher, nach dem Dritten Weltkrieg war es bestimmt leicht gewesen, die Macht an sich zu reißen, wenn man genügend Beziehungen gehabt hatte. Aber warum hatte sich niemand dagegen gewehrt? Er mußte das einmal mit Stefan bereden, der wußte bestimmt mehr davon. Denn wo sonst konnte so etwas stehen, wenn nicht in alten Büchern? In Büchern, die geschrieben wurden zu einer Zeit, als jeder noch schreiben konnte, was er wollte, ohne Angst haben zu müssen, dafür ins Gefängnis zu wandern.

Er betrachtete Sybille. Sie waren glücklich und zufrieden. Sie liebten sich. Und es wurde nie langweilig mit ihr. Sie hatte immer etwas zu reden, während der ganzen Reise. Es war eigentlich seltsam, daß er sich mit Sybille so gut verstand. Während sie immer etwas zu erzählen hatte, war er meistens schweigsam. Er mochte es einfach nicht, nur etwas zu sagen, damit etwas gesagt wurde. Manche legten ihm das vielleicht falsch aus, aber daran konnte er nichts ändern. Er war allein aufgewachsen und konnte es daher nicht verstehen, daß Leute immerzu redeten. Und er wußte, daß Sybille ihn verstand. Das war die Hauptsache.

Am Montagmorgen erfuhr der Leiter des Staatlichen Sicherheitsdienstes von der Flucht Claus Ludors.

Man hatte zunächst angenommen, die Gefangenen seien mit Ludor als Geisel entflohen, doch als man Ludors Wohnung durchsuchte, stellte man fest, daß die Flucht lange vorbereitet gewesen war.

Stan Roberts sammelte die Nachrichten, die Ludors

Flucht betrafen. Zunächst war es für ihn ein Schock, daß ein Mann wie Ludor in einer solchen Position überhaupt fliehen konnte. Dann aber auch noch mit Verbrechern wie diesem Hansson – das war zuviel für Roberts Fassungsvermögen.

Am späten Montagmittag kam die Nachricht, daß Ellen Thien sowie ein gewisser Borodin, dessen Spur zu Thiens Haus geführt hatte, ebenfalls verschwunden waren.

Stöhnend ließ sich Roberts in seinem Sessel am Schreibtisch zurückfallen. Wer trug die Verantwortung für das Ganze? Er!

Er hätte sich selbst ohrfeigen können, daß er die Reparaturen an den Überwachungsanlagen nicht schneller vorangetrieben hatte. Schließlich war dieser Ludor nach dem Tod von Thien schon etwas verdächtig geworden. So konnte sich Roberts auch nicht erklären, weshalb man ausgerechnet diesen Ludor zum Leiter des Staatlichen Labors ernannt hatte. Aber was sollte man gegen die Entscheidung von 518 unternehmen?

Jetzt mußte er wohl oder übel die Flucht weitermelden. Schon heute morgen hatte er eine kurze Nachricht durchgegeben, daß Ludor verschwunden sei.

Roberts kramte einen Zettel hervor und überlegte, wie er den Vorfall schildern konnte, ohne seine eigene Person in den Schatten zu stellen.

Zur gleichen Zeit saß 518 am Schreibtisch und grübelte. Schon heute morgen hatte er einigermaßen klargesehen. Eigentlich war es für ihn nicht überraschend, daß Ludor flüchtig war, wenn er es ihm in letzter Konsequenz auch nicht zugetraut hatte.

Er mußte zugeben, daß dies wohl ein Fehler gewesen war.

Jetzt hatte man nicht nur einen der besten Wissenschaftler verloren, nein, auch die gesamte Arbeit von Jahren war zerstört. Was würde wohl 51 dazu sagen, wenn er davon hörte?

518 mußte zugeben, daß dies kein gelungener Einstand war. Schlimm genug, daß ein wichtiger Mann innerhalb der ersten Tage seiner Amtszeit verschwand. Aber noch dazu

hatte er, 518, diesen Mann zum Leiter des Labors gemacht, zumindest indirekt.

518 entschloß sich, rasch zu handeln. Nach den letzten Berichten aus Marseille, die nicht nur von Roberts, wie dieser glaubte, sondern auch von anderen Stabsstellen kamen, war Ludor mit seiner Jacht geflohen.

518 konnte sich noch gut an die schönen Abende erinnern, die er zusammen mit Claus und seiner Frau und auch mit Thien verbracht hatte. Aber dennoch hatte sein Vorgänger richtig gehandelt, als er Thien ausschalten ließ. Er hätte dasselbe mit Ludor tun sollen.

Der Fernschreiber sprang an.

betr.: flucht ludor
  flüchtiger ludor befindet sich mit weiteren fünf personen sowie seiner tochter an bord seiner jacht seagull. suezkanal geschlossen. flüchtende segeln daher in richtung atlantik. schlage überwachung aus gebiet 4 vor, ludor muß am leben bleiben. mfg roberts

Wenig später empfing auch 51 dieses Telex. Er gab die Angelegenheit gleich weiter an den obersten Leiter des Gebietes 4, an 40. Hierzu bediente er sich ebenfalls des Fernschreibers, obwohl er dies auch persönlich hätte machen können. Denn 51 und 40 wohnten in ein und demselben Ort, nämlich in ›Der Stadt‹. 40 würde das Telex an 4 weitergeben, und damit war einer der zehn Allmächtigen informiert. Noch niemand hatte diese zehn zu Gesicht bekommen.

Wenige Stunden später war bereits der Einsatzbefehl für eine Spezialtruppe im Gebiet 4 draußen. Das System hatte sich wieder einmal bewährt.

51 erhielt die Vollzugsmeldung. Zufrieden verließ er sein Büro und fuhr hinunter in den Pflanzengarten. Der Duft von Orchideen hing in der Luft. Riesige Palmen überwucherten die Bürogebäude.

Ja, er hatte einen langen Weg hinter sich, um hier zu leben. Einen Weg, der auf der willenlosen Ausführung von Befehlen basierte, auf eigenen Entscheidungen, die oft grausam waren. Oftmals hatte er sich gefragt, ob es jemals eine Entschuldigung dafür geben würde. Doch wenn er sich dann sein Reich ansah, dann wußte er, was die Entschuldigung war. Wer konnte schon von einem verlangen, freiwillig auf diesen Luxus zu verzichten?

Doch obwohl 51 von sich behaupten konnte, viel zu wissen, wußte er noch lange nicht alles. Dann wäre er vielleicht weniger zufrieden gewesen.

Als nach drei endlos scheinenden Wochen eines Morgens der Schrei »Land!« über Deck ertönte, konnte es zuerst niemand glauben. Auch Ludor, der ihn selbst ausgestoßen hatte, starrte immer noch zweifelnd auf den dunklen Punkt am Horizont.

Noch war es nur ein kleiner Punkt, aber er wurde zusehends größer.

Es bestand kein Zweifel. Seit sie das letzte Mal Land gesehen hatten, die Kanarischen Inseln, waren drei Wochen vergangen, drei unendliche Wochen auf dem Atlantik, der mit seinen wechselhaften Launen an den Nerven der gesamten Besatzung gezerrt hatte.

Minute um Minute schien der Punkt größer zu werden, der sich am Horizont aus dem Meer schob. Inzwischen waren alle an Deck gekommen und schauten gebannt auf das kleine Stückchen Land, das sie alle mit Hoffnung erfüllte.

Bereits eine Stunde später konnte man die ersten undeutlichen Umrisse wahrnehmen. Sehr groß war diese Insel jedenfalls nicht.

Es war bald Mittag, und die Sonne stand steil am blauen Himmel, als die SEAGULL endlich in eine kleine stille Bucht einfuhr.

Der weiße Bug teilte plätschernd das türkisblaue klare Wasser. Etwa dreihundert Meter von dem weißen Sandstrand entfernt, von dem sich hohe Palmen erhoben, die sich majestätisch im Wind auf und ab bewegten, ankerte die SEAGULL. Das Wasser war zu seicht geworden, und es bestand Gefahr, daß die Jacht auf Grund lief.

Nachdem an Bord alles klar gemacht worden war, sprang Hansson als erster ins Wasser.

Es war so warm, daß er kaum eine Abkühlung verspürte. Er schwamm, bis er Grund unter den Füßen hatte, und watete dann bis zum Strand. Die anderen folgten ihm nacheinander.

Ludor ließ eine Handvoll des feinen weißen Sandes durch die Hände rieseln, als müßte er fühlen, daß sein Traum in Erfüllung gegangen war.

Borodin war der erste, der sich wieder faßte und die Stille unterbrach.

»Ich glaube, ich werde mich mal ein wenig umsehen«, sagte er mit einer Selbstverständlichkeit, als hätte er sein ganzes Leben nichts anderes getan, als fremde Inseln zu entdecken.

Ludor nickte.

»Stefan hat recht, wir müssen die Lage erkunden. Wie es im Moment aussieht, scheint die Insel unbewohnt zu sein.«

»Und wir bringen die Ausrüstung in Sicherheit«, sagte Ellen.

»Ich würde lieber noch etwas warten und das ganze Zeug auf dem Schiff lassen. Wir wissen nicht, wer oder was uns hier erwartet ... und wenn wir wieder schnell verschwinden müssen, ist es besser, wenn noch alles an Bord ist.«

Hansson war sich keineswegs so sicher, daß die Insel unbewohnt war. Es deutete zwar nichts darauf hin, daß jemals ein Menschenfuß dieses Eiland betreten hatte, aber irgendwie hatte Hansson ein ungutes Gefühl.

Ellen nickte.

»Na gut, wenn du glaubst, wir könnten Schwierigkeiten bekommen ... ich gehe jetzt erst mal baden.«

Ludor und Borodin befanden sich mitten im Urwald.

Obwohl sie dicke Segeltuchhemden anhatten, stachen die Mücken durch den Stoff.

»Wir hätten Insektenspray mitnehmen sollen«, meinte Borodin, während er fluchend einen der Plagegeister zerquetschte.

»Daran werden wir uns gewöhnen müssen«, entgegnete Ludor lächelnd, »die Freiheit hat eben ihren Preis.«

Sie gingen weiter. Über ihnen schloß sich der Wald. Dichtes Gestrüpp und Schlingpflanzen machten ihnen zu schaffen, und sie kamen nur langsam voran.

»Dort vorn können wir am Strand entlanggehen«, sagte Ludor und deutete auf eine Stelle, wo sich das Dickicht zu lichten begann.

Kaum hatten sie die feuchte Schwüle des Waldes verlassen, schlug ihnen die frische Seeluft entgegen. Ludor schätzte die Temperatur auf ungefähr 28 Grad.

Vor ihnen lag der Sandstrand. Mindestens drei Kilometer lang, dann verschwand er hinter einem Felsen.

»Scheint doch nicht so klein zu sein, wie wir angenommen haben«, meinte Borodin. »Ich glaube, es ist besser, wenn wir erst morgen weitergehen.« Borodin sah zur Sonne, die sich bereits langsam zu neigen begann. »Es wird bald dunkel werden, und ich weiß nicht, ob wir dann den Weg noch finden.«

Als sie wieder an die Stelle kamen, wo die SEAGULL ankerte, saßen Hansson und die Mädchen bereits an einem Feuer.

»Ihr scheint wirklich hundertprozentig davon überzeugt zu sein, daß wir hier allein sind«, sagte Borodin mürrisch und warf einen Blick auf die Feuerstelle.

Hansson, der gerade ein Stück Konservenfleisch kaute, mußte ihm innerlich recht geben. Auch er hatte zunächst gezögert, ein Feuer zu entfachen, aber etwas Warmes am Abend war nicht zu verachten.

»Streitet euch nicht!« beschwichtigte Ludor. »Ich glaube

auch nicht, daß außer uns noch jemand da ist, aber wir werden morgen die Insel trotzdem systematisch erkunden. Erst dann können wir uns in Ruhe niederlassen.«

Er setzte sich zu den anderen und schnitt sich auch eine Scheibe von dem Fleisch ab.

»Ausgezeichnet«, sagte er kauend.

»Wo sollen wir eigentlich übernachten?« fragte schließlich Monique und stellte damit eine Frage in den Raum, an die anscheinend noch niemand gedacht hatte.

»Am besten, wir verbringen die Nacht noch einmal auf dem Schiff«, schlug Borodin vor. »Ehe wir nicht unsere Ausrüstung an Land haben, können wir auch nicht an Land schlafen.«

»Es ist doch warm genug«, warf Sybille ein, die sich schon darauf gefreut hatte, endlich wieder einmal ohne die ewige Schaukelei schlafen zu können.

»Sicher, aber was ist mit dem ganzen Ungeziefer und dem anderen Getier, das es hier noch gibt?« antwortete Borodin. »Wir können uns keinen Unfall erlauben, auch keine kleine Vergiftung durch einen Skorpionstich oder etwas ähnliches. Obwohl«, fügte er hinzu, »wir doch eine Krankenschwester dabei haben.«

Ellen sah ihn an.

»Von wegen! Ich habe keine Lust, hier ständig jemanden zu versorgen. Und außerdem sollten wir nicht schon in den nächsten Tagen unsere ganzen Medikamente aufbrauchen.«

»In Ordnung!« wehrte Sybille ab. »Ihr habt gewonnen. Nachdem ihr mir so eindringlich die Schönheiten der Insel klargemacht habt, werde ich doch noch eine Nacht auf unserer guten SEAGULL verbringen.«

Sie blieben noch eine Weile sitzen, bis das Feuer erloschen war, dann wateten alle, bis auf Hansson und Sybille, zur SEAGULL hinaus.

»Wir kommen später nach«, sagte Hansson.

Er setzte sich neben Sybille, die auf einem angetriebenen Baumstumpf saß und über das Meer sah.

»Was denkst du gerade?« fragte er.

Sie zuckte mit den Schultern.

»An alles mögliche.« Sie drehte sich um. »Glaubst du, daß wir es hier lange aushalten werden?«

»Wie meinst du das?«

Sie schaute ihn an.

»Ich meine, ob wir sechs es lange zusammen aushalten werden auf dieser Insel?«

»Du meinst, es gibt Streit?«

»Kann schon sein, im Prinzip ist die Insel ja nichts anderes als ein größeres Schiff. Weißt du, Claus ist zwar ein netter Mensch, schließlich verdanken wir ihm, daß wir hier sind. Aber er denkt, daß er uns deswegen rumkommandieren kann.«

»Würdest du anders handeln, Sybille?« fragte Hansson ernst.

»Wahrscheinlich nicht, aber ich würde zumindest damit rechnen, daß es schiefgehen kann.«

»Vielleicht sollten wir mit Claus darüber sprechen.«

»Ich halte es für besser. Die anderen haben auch schon Andeutungen gemacht, daß sie sich nicht mehr so viel von Claus sagen lassen wollen. Ich meine, solange wir auf dem Boot waren ... in Ordnung, schließlich hat niemand von uns einen blassen Schimmer gehabt von Navigation oder sonst etwas ... aber jetzt, an Land, sollte doch jeder selbst bestimmen, was er machen will.«

»Du hast recht, Sybille, aber du darfst Claus auch nicht unrecht tun ... ich werde auf jeden Fall mit ihm sprechen.«

Er legte seinen Arm um sie.

Es war sehr still.

Die einzigen Laute, die ihnen ans Ohr drangen, waren das Zirpen einiger Heuschrecken und das monotone Rauschen des Meers, das außerhalb der Bucht gegen die Felsen schlug.

Jetzt waren sie da. Das Ziel, auf das sie seit Wochen hingearbeitet hatten und wovon sie gestern noch geträumt hatten, war erreicht. Doch Hansson mußte sich auch eingestehen, daß damit auch ein Teil seines Enthusiasmus verschwunden war.

Sie müßten jetzt hier leben, Monate, Jahre, vielleicht ihr ganzes Leben lang. Es würde bestimmt nicht leicht werden.

»Bist du auch so müde wie ich?« fragte Sybille und gähnte.

Er nickte.

»Es war ein anstrengender Tag, und morgen werden wir noch mehr zu tun haben.«

Sie standen auf und wateten durch das immer noch warme Wasser hinüber zur SEAGULL, die leicht auf der vom Mondlicht silbernen Fläche des Meeres schaukelte.

Borodin saß vorn am Bug und döste.

Als Hansson und Sybille die Strickleiter hochstiegen, murrte er etwas im Schlaf. Dann war es wieder ruhig.

Ruhig saß der alte Mann vor seiner Hütte.

Das weiße Haar fiel ihm bis auf die Schultern. Die Haut war braun und rissig. Sie hatte den Charakter von Leder. Die eisblauen Augen starrten gedankenverloren in die Ferne. Sie waren alt, aber dennoch lebendig.

Er sah über das Meer, das jetzt still unter ihm lag. Der Mond hatte es in eine silberne Fläche verwandelt.

Schon oft hatte er von diesem Platz aus die Sonne auf- und untergehen sehen. Mehr als vierzig Jahre lang. Vierzig Jahre auf dieser Insel, die er kannte wie die ausgefranste Tasche seiner verschlissenen Hose. Es war seine Insel. Vierzig Jahre voller Glück, aber auch voller Einsamkeit.

Oft schon waren Menschen gekommen, weil sie auf der Flucht waren, oder auch nur, weil sie etwas erleben wollten. Aber alle waren wieder verschwunden.

Auch heute waren wieder Neue angekommen. Er hatte sie seit heute morgen beobachtet. Nachdem mittags schon zwei auf Erkundung gegangen waren, würden sie morgen bestimmt über die ganze Insel streifen.

Vielleicht würden sie ihn morgen finden, und dann würde er ihnen das sagen, was er allen gesagt hatte, die ihn in seinem Versteck aufgestöbert hatten: daß man auf dieser Insel leben konnte, wenn man es wirklich wollte – es durfte keine Zweifel geben. Denn das war der Fehler der meisten, die kamen. Sie waren sich nicht sicher, ob sie wirklich bleiben wollten.

Auch der Alte hatte diese Zeit einmal durchgemacht. Es war eher ein Zufall gewesen, damals vor vierzig Jahren ...

Der Alte merkte, daß er plötzlich müde wurde. Es war heute ein anstrengender Tag für ihn gewesen.

Den ganzen Mittag hatte er die Fremden beobachtet, ihren ersten Kampf mit den Insekten und den Gegebenheiten der Insel.

Sie interessierten ihn. Und, das war das wichtigste, sie machten keinen schlechten Eindruck auf ihn. Er entschloß sich, ihnen morgen ein Zeichen zu hinterlassen, damit sie ihn fänden.

Manchmal hatte er ganz gern Leute um sich. Es kam allerdings höchstens alle zwei Jahre einmal vor, daß jemand auf diese Insel kam.

War ihm jemand sympathisch, dann gab er ihm ein Zeichen. Wenn nicht, dann blieb er in seinem Versteck.

Bisher hatte zumindest noch nie jemand seine Behausung entdeckt, wenn er es nicht gewollt hatte.

Müde ging er in seine Hütte und legte sich auf das alte Holzbett, das er auch mal wieder reparieren mußte.

»Wofür?« murmelte er leise. »Solange ich noch lebe, wird es mich schon aushalten.«

Du redest ja wieder mit dir selbst, alter Simpel, dachte er. Es wird wirklich Zeit, daß mal wieder Leute kommen.

Die kühle Nachtluft strich durch den Dschungel und trieb ein wenig von der Schwüle aus den fetten grünen Blättern.

Leise drangen das Rauschen des Meeres und das leise Knarren der alten Palmen zu Redsmith herauf. Es war ein Lied, das er gegen nichts auf der Welt eingetauscht hätte.

Er war stolz auf sich. Eigentlich konnte er von sich behaupten, daß er etwas von seinem Leben gehabt hatte. Und das konnten bestimmt die wenigsten.

Es war drückend heiß. Brennend stach die Sonne vom wolkenlosen Himmel.

Die drei Gestalten, die sich mühsam ihren Weg durch verwachsene Sträucher und Schlingpflanzen bahnten, fluchten abwechselnd vor sich hin.

Bereits seit dem frühen Morgen waren sie nun schon unterwegs und hatten außer ein paar kreischenden Affen und lästigen Insekten nichts Besonderes entdeckt.

»Wie wäre es mit einer Pause?« fragte Hansson und wischte sich mit dem Handrücken über die schweißnasse Stirn.

»Ich hätte nichts dagegen einzuwenden«, antwortete Ludor und ließ sich gleichzeitig auf einem entwurzelten Baumstamm nieder.

»Vorschlag angenommen«, bemerkte Borodin sarkastisch und sah Ludor von der Seite an. Auch ihm war aufgefallen, daß Ludor das Steuer anscheinend nicht mehr aus der Hand geben wollte.

Hansson sagte nichts mehr. Er nahm einen Schluck Wasser aus der Feldflasche. Es schmeckte abgestanden und bitter.

»Hoffentlich finden wir bald Wasser, sonst sieht es schlecht aus.«

Er reichte die Flasche weiter.

»Das kocht ja gleich«, sagte Borodin und verzerrte das Gesicht, als er den ersten Schluck genommen hatte.

»Eigentlich müßten wir das andere Ende der Insel bald erreicht haben«, sagte Ludor mehr zweifelnd als behauptend.

Borodin nickte.

»Ja, und Wasser haben wir trotzdem nicht gefunden. Das macht mir Sorgen.«

»Eigentlich hätten wir ja auch mit der SEAGULL erst

einmal um die ganze Insel herumsegeln können, dann wüßten wir wenigstens, wie groß sie ist.«

»Sicher«, stimmte Ludor zu. »Aber der Weg hier durch wäre uns trotzdem nicht erspart geblieben.«

Er seufzte.

»Wenn es kein Wasser auf der Insel gibt, können wir sowieso gleich wieder die Koffer packen. Denn Regen scheint es hier auch nicht viel zu geben.«

Hansson blickte zum Himmel, der keineswegs nach Regen aussah.

»Hier gibt es eine Menge Gewächse, und es müßte mit dem Teufel zugehen, wenn es hier nicht auch regnen würde«, entgegnete er.

»Wir werden sehen«, sagte Borodin und schraubte die Feldflasche wieder zu.

Er stand auf, zog sein Buschmesser und bahnte sich erneut einen Weg durch das Dickicht.

Hätte er gewußt, daß nur wenige Meter davon entfernt ein bequemer Trampelpfad entlangführte ...

Nachdem die Männer am frühen Morgen aufgebrochen waren, hatten sich Sybille, Monique und Ellen daran gemacht, die SEAGULL zu entrümpeln.

Das ganze Zeug, das ihnen zwar während der langen Wochen auf See gute Dienste geleistet hatte, aber nun unnötig geworden war, warfen sie auf einen Haufen und vergruben es später ein wenig vom Strand entfernt.

Am frühen Mittag waren sie damit fertig.

Sybille fühlte sich nicht besonders wohl. Die Hitze machte ihr zu schaffen. Sie legte sich in den Schatten einer Palme und döste vor sich hin.

Die Sonne hatte bereits ihre volle Kraft entfaltet. Sie stand hoch am Himmel und ließ den feinen Sandstrand in grellem Weiß leuchten.

Vom dichten Wald, der gleich dahinter begann, wehte der schwere Duft von Hibiskus und Oleander.

Ellen und Monique zogen sich aus. Das türkisblaue Wasser schwappte zärtlich einladend an den Strand.

Nackt, wie sie waren, ließen sie sich in das kristallklare, angenehm warme Wasser fallen.

»Glaubst du, daß es hier Haie gibt?« fragte Monique prustend.

Ellen schwamm zu ihr hin.

»Ich glaube nicht, es ist viel zu flach hier.«

Sie schwammen etwa zweihundert Meter hinaus. Noch immer war der Grund zu sehen. Weiße Korallen wuchsen bis kurz unter die Wasseroberfläche.

Ellen tauchte hinab. Glucksend schlossen sich über ihr die Wellen. Es war herrlich. Zwischen den Korallen schwammen kleine bunte Fische, die sie neugierig beschnupperten. Seesterne lagen dekorativ auf dem weißen Sand am Grund.

Nach Luft schnappend, kam sie wieder hoch. Sie schüttelte sich das Salzwasser aus den Haaren.

»Es ist einfach herrlich!« rief sie zu Monique hinüber, die schon langsam wieder zurückschwamm.

Ellen legte sich auf den Rücken und blinzelte in die Sonne.

Man konnte sich einfach nicht vorstellen, daß es auf der Erde noch ein solches Paradies gab. Man konnte tun und lassen, was man wollte. Sie bereute es jedenfalls nicht, mitgefahren zu sein. Allein schon wegen Stefan.

Plötzlich spürte sie etwas Rauhes am Rücken. Im ersten Moment war sie erschrocken, doch dann sah sie, daß es nur eine Sandbank war.

»Ich bin gestrandet!« rief sie, noch immer auf dem Rücken liegend. So konnte sie auch nicht den dunklen Schatten unter der Wasseroberfläche sehen, der sich auf Monique zu bewegte.

Ellen versuchte, Halt zu finden, und setzte sich schließlich auf die Sandbank, die etwa zehn Zentimeter unter der Wasseroberfläche endete.

Ihr Blick fiel auf Monique, und plötzlich sah sie auch die

Dreiecksflosse aus dem Wasser ragen, die nur noch ein paar Meter von Monique entfernt war.

Ellen stieß einen schrillen Schrei aus.

Doch selbst wenn Monique ihn gehört hätte, wäre er zu spät gekommen.

Ellen hörte, wie Monique aufschrie, dann war sie plötzlich verschwunden.

Noch einmal ragte ihr Kopf kurz aus dem Wasser und Ellen meinte, ihr schreckensbleiches Gesicht sehen zu können. Dann war es ruhig. Der Hai hatte sie mit auf das Meer hinausgezogen.

Ellen starrte noch immer auf den Fleck, wo noch vor wenigen Minuten sie selbst geschwommen war.

Sie war wie gelähmt. Es war alles so schnell gegangen, und sie hatte nichts dagegen tun können.

Erst jetzt sah sie Sybille, die anscheinend durch Moniques Schrei wachgeworden war und regungslos am Strand stand.

Ellen fröstelte plötzlich, obwohl das Wasser mindestens achtundzwanzig Grad haben mußte.

In panischer Angst warf sie sich ins Wasser und schwamm so schnell wie möglich auf den Strand zu.

Sie sah sich nicht um, ob der Hai vielleicht wieder zurückkommen könnte. Sie kannte nur ein Ziel: so bald wie möglich den sicheren Strand erreichen.

Völlig außer Atem ließ sie sich auf den heißen Sand fallen.

»Was tun wir jetzt?« fragte Sybille.

Ellen sagte gar nichts. Zu tief saß noch der Schock in ihr.

Sybille, die immer wieder auf die Stelle hinausstarrte, an der Monique verschwunden war, weinte hemmungslos.

Es schien ihr, als sei das Meer an dieser Stelle rot gefärbt.

Die Palmen bogen sich leicht im Wind, und das Meer sang sein eintöniges, schönes Lied.

Das Paradies zeigte sich wieder einmal von seiner besten Seite.

Etwa zur gleichen Zeit entdeckte Hansson eine Feuerstelle.

Ohne Zweifel war sie frisch. Das Holz glühte noch an manchen Stellen. Sie befanden sich jetzt etwa fünf Kilometer im Innern der Insel.

»Was tun wir jetzt?« fragte er, nachdem er sich erhoben hatte.

»Vorsichtig weitergehen«, schlug Borodin vor. »Zumindest wissen wir jetzt, daß wir nicht allein auf der Insel sind. Es könnten Eingeborene sein.«

Wenige Meter von der Feuerstelle entfernt, entdeckte Ludor kurz darauf einen Trampelpfad.

Sie folgten ihm.

Hansson hatte sein Buschmesser, das er sich aus einem alten Küchenmesser geschliffen hatte, ständig in Bereitschaft, als erwartete er jeden Augenblick einen Angriff.

Ein schriller Schrei ließ sie herumfahren.

Erleichtert atmeten sie auf, als sie sahen, daß sie anscheinend nur einen Affen in seiner Mittagsruhe gestört hatten.

Plötzlich teilte sich vor ihnen das Gebüsch, und ein alter weißhaariger Mann stand vor ihnen.

Er sah sie freundlich an. Dennoch hielt Hansson sein Messer bereit.

»Sie können es ruhig wegstecken. Wie Sie sehen, bin ich allein, und auch meine körperliche Verfassung dürfte mit der Ihren wohl nicht mehr mithalten können«, sagte der Alte ruhig und deutete auf Hanssons Messer.

Etwas verdutzt nahm Hansson das Messer herunter und steckte es in seinen Gürtel.

Der Alte sprach ihre Sprache. Wer war er?

»Gestatten Sie mir, daß ich mich vorstelle: Thomas Redsmith.«

»Ich heiße Hansson«, sagte er etwas verwirrt. »Und das sind meine Freunde Claus Ludor und Stefan Borodin.«

Der Alte reichte jedem die Hand.

»Darf ich Sie zu mir einladen? Mein Haus liegt nur wenige Meter von hier entfernt.«

Hansson sah Ludor an. Der nickte nur.

Es war schon sonderbar. Man verließ sich schon automatisch auf Ludors Meinung. Sie hatte etwas Absolutes.

»Gern«, sagte Hansson schließlich.

Der Alte ging voraus, und tatsächlich waren sie schon nach wenigen Augenblicken vor einer Holzhütte angekommen.

Stabil gebaut und hervorragend getarnt. Wer den Weg nicht kannte, fand diese Hütte niemals.

Im Innern der Blockhütte war es angenehm kühl. Der Alte servierte ihnen ein erfrischendes, wahrscheinlich aus einheimischen Früchten gepreßtes Getränk.

Sie nahmen Platz an einem stabilen hölzernen Tisch. Ludor ergriff schließlich das Wort.

»Herr Redsmith ...«, begann er.

»Für Sie bitte Thomas«, unterbrach ihn Redsmith sofort.

»Gut, Thomas, ich möchte nicht unhöflich erscheinen, aber es würde uns brennend interessieren, wie Sie auf diese Insel gekommen sind und was Sie hier tun.«

Der Alte nahm einen Schluck aus dem Trinkbecher, der aus einer Kokosnußschale gemacht war.

»Ich bin schon sehr lange auf dieser Insel, über vierzig Jahre. Und sie waren bestimmt nicht immer leicht. Ich kann mir schon denken, weshalb ihr hier seid ...«

Er zögerte.

»Und deshalb werde ich euch meine Geschichte erzählen.«

Er goß noch einmal die Becher voll, lehnte sich gemütlich zurück und begann dann sich zu erinnern: an seine Kindheit, seine Jugend, sein bisheriges Leben ...

Thomas Redsmith war ein stiller Junge. Seit frühester Kindheit konnte er Stunden damit verbringen, irgendwelche Dinge zu zeichnen, seine Mitmenschen zu beobachten und ihre charakteristischen Züge festzuhalten.

Er hatte eine relativ glückliche Kindheit. Seine verständnisvollen Eltern ermöglichten ihm eine gute Ausbildung. Er machte sein Abitur und dann eine Lehre. Eigentlich wollte er lieber Maler oder Designer werden. Aber man hatte ihm allgemein abgeraten. Es wäre doch wohl etwas zu unsicher, sich sein Brot als Künstler zu verdienen.

Also absolvierte er seine Lehre als Kaufmann. Seine Freizeit verbrachte er in erster Linie mit Malen.

Auf die Dauer war es jedoch für ihn mehr als unbefriedigend, jeden Morgen, Tag für Tag, ins Büro zu gehen, für irgendwelche Hohlköpfe irgendwelche stumpfsinnigen Arbeiten zu verrichten und eigentlich am Leben vorbeizuleben.

Er konnte sich nicht vorstellen, ein ganzes Leben auf diese Weise zu verbringen.

Schon früher, noch in seiner Lehrzeit, spielte er mit dem Gedanken, alles aufzugeben und einfach fortzugehen.

Er haßte den Winter, den kalten Regen, die graue Welt, die jeglichen Frohsinn vertrieb. Zu dieser Zeit lebte er nur nach der Maxime: Lebe immer so, als wäre dieser Tag dein letzter.

Aber es war nicht nur das Wetter, das ihn ärgerte.

Es gab damals auch eine Entwicklung, die ihn zutiefst beunruhigte. Es war die Zeit, als das Land, in dem er lebte, immer öfter von politischen Attentaten heimgesucht wurde. Nun, lange ließ sich das der Staat nicht gefallen. Man schuf neue Gesetze, die solche Straftaten in Zukunft verhindern sollten.

Zunächst spürte man noch nichts davon. Man konnte sich frei bewegen. Doch wurden bereits auf den Flughäfen Leibesvisitationen durchgeführt, hier und da standen schwerbewaffnete Polizisten herum.

Aber selbst das war nicht sonderlich beunruhigend. Aber als man dann immer öfter auf der Straße angehalten wurde und seinen Ausweis zeigen mußte, während ein anderer Polizist das Maschinengewehr auf einen richtete, begann die Sache auffällig zu werden.

Redsmith erinnerte sich noch genau an den Tag, als er mit seiner damaligen Freundin im Bett lag und plötzlich die Zimmertür aufflog. Ein Drei-Mann-Trupp schwerbewaffneter Polizisten forderte ihn auf, sofort mit auf das Präsidium zu kommen. Man hätte den Verdacht, er stecke mit irgendwelchen Terroristen unter einer Decke.

Noch während Redsmith sich einigermaßen überrascht anzog, durchstöberten zwei der Polizisten seine Wohnung, während der dritte ihn und seine Freundin mit dem MG bedrohte.

Die ganze Sache stellte sich später als Irrtum heraus. Doch Redsmith hatte das unangenehme Gefühl, daß er hier nicht mehr lange leben konnte.

Das schlimmste an der Sache aber war, daß anscheinend niemand etwas von dieser Entwicklung zu bemerken schien. Im Gegenteil, die meisten waren noch für eine Verschärfung der Gesetze.

Wagte man es, sich über die Kontrollen der Polizei zu beschweren, wurde man gleich als Sympathisant der Terroristen abgestempelt. Sicherlich waren manche Maßnahmen einzusehen. Als die Tätigkeit der Terroristen langsam abnahm, behielt man indessen alle Kontrollen bei. Im Gegenteil, es wurde sogar noch schlimmer.

Es war eine schleichende Entwicklung. Und genau das war das schlimmste daran.

Hätte man alle Maßnahmen von heute auf morgen eingeführt, hätte es bestimmt einige Menschen gegeben, die sich dagegen gewehrt hätten. Es fing aber ganz harmlos an: Unter dem Deckmantel, daß man gegen Terroristen vorgehen müsse, wurden Gesetze erlassen, die ganz und gar nicht mehr in eine freiheitlich-demokratische Grundordnung paßten.

Durch die ebenfalls immer perfekter werdende Technik bei der Datenerfassung war bald jedermann irgendwo gespeichert.

Gewiß brachten die Computer eine erhebliche Erleichterung für die Abwicklung der verschiedenen Aufgaben. Doch ein Computer, der zum Beispiel die Daten einer Person im Krankenhaus speicherte, unterschied sich in nichts von einem Computer, der die gleiche Arbeit bei einer Privatfirma oder bei einer Polizeibehörde machte.

Diese Erfahrung mußte Redsmith machen, als er sich eines Tages bei einer Firma um eine Stelle bewarb.

Obwohl Redsmith genau wußte, daß er weder in seiner Bewerbung noch in irgendwelchen persönlichen Gesprächen mit dem Personalleiter Angaben darüber gemacht hatte, mußte er erfahren, daß der Personalchef des Unternehmens sowohl über seine Leistungen bei der alten Firma als auch über seinen Gesundheitszustand bestens unterrichtet war (er hatte sich zwei Monate zuvor in einem Krankenhaus einer leichten Operation wegen Rückenschmerzen unterzogen).

Doch nicht genug damit, daß der freundliche Herr, dem Thomas Redsmith in der Personalabteilung gegenübersaß, das wußte, er wußte noch viel mehr.

Er wußte, daß Redsmith in einer sogenannten wilden Ehe lebte (vom Computer der Städtischen Wohnungsbaugesellschaft, die Privatwohnungen vermietete), daß er bereits zweimal bei Rot über die Ampel gefahren war (vom Computer des Ordnungsamtes) und somit keinerlei Aussichten mehr hatte, einen Firmenwagen gestellt zu bekommen, und er wußte schließlich auch, daß Redsmith seine Steuern nicht immer pünktlich gezahlt hatte.

Redsmith hätte den Job zwar trotz allem bekommen können, aber nach diesen Erfahrungen verzichtete er darauf, dort tätig zu werden. Er kündigte bei seiner alten Firma, hob sein gesamtes Geld ab, setzte sich ins nächste Flugzeug und flog nach Mexiko.

Hier lebte er einige Jahre ruhig und zufrieden vor sich hin, arbeitete als Einkäufer für eine amerikanische Firma und verdiente genügend Geld, um sich einiges leisten zu können.

Doch es dauerte nicht allzu lange, bis sich die Entwicklung, vor der er aus seinem Heimatland geflohen war, auch bis nach Mexiko fortsetzte.

Redsmith blieb noch eine Weile, verbrachte die Wochenenden am Strand von Acapulco, flirtete mit den schönsten Mädchen und genoß das Leben.

Nebenher verdiente er sich noch einiges mit der Malerei, und an seinem dreißigsten Geburtstag entschloß er sich, freischaffender Künstler zu werden.

Eigentlich hatte er jetzt das Leben, das er sich schon immer gewünscht hatte. Er konnte schlafen, solange er wollte, hatte Erfolg, es war fast immer herrliches Wetter, und er konnte dann arbeiten, wenn er Lust dazu hatte, und nicht, wenn es ihm andere vorschrieben.

Doch wie gesagt, die verhängnisvolle Entwicklung nahm ihren Lauf. Nach und nach wurden auch in Mexiko und parallel dazu auf der gesamten Erde die zivilisierten Teile immer mehr überwacht. Es gab kaum noch Staaten, die nicht von der Polizei und einem mächtigen Beamtenapparat beherrscht wurden.

Und dann kam der Tag, als der Präsident der Vereinigten Staaten von Amerika bei einem Staatsbesuch in Moskau erschossen wurde. Da die Umstände ziemlich mysteriös waren, gab es Krieg.

An dem Morgen, an dem Redsmith durch Zufall davon im Radio hörte, beschloß er, Mexiko zu verlassen.

Gleich nach dem Frühstück ging er zum Hafen hinunter, kaufte einem Bootsreeder eine nagelneue Jacht ab, besorgte sich eine komplette Ausrüstung und verschwand noch am gleichen Tag. Er hatte wieder einmal alle Zelte hinter sich abgebrochen.

Er segelte durch den Panamakanal und landete schließlich nach knapp einer Woche auf einer kleinen Insel, irgendwo zwischen Kuba und Venezuela, die noch unbewohnt war, aber eine Süßwasserquelle hatte.

Sie gehörte zu der Inselgruppe der Kleinen Antillen.

Redsmith hatte volle zwei Monate damit zu tun, sich eine geeignete Blockhütte zu bauen. Schließlich mußte er sich auch noch um die Nahrungsbeschaffung kümmern.

Zum Glück blieb die Gegend vom Krieg weitgehend verschont. Ab und zu konnte er sogar auf die nächstgrößere Insel fahren, um sich dort mit dem Notwendigsten zu versorgen.

Der Krieg dauerte nicht lange. Innerhalb kurzer Zeit waren fast alle Industrieanlagen zerstört. Da es niemand wagte, reine Wohngegenden anzugreifen, beschränkte sich der Krieg mit einigen Ausnahmen auf die Zerstörung von Sachgütern.

Eine Firma, die ihren Hauptsitz in Mexiko hatte, blieb allerdings verschont. Es war die ICC, International Computer Company.

Bereits in den letzten Kriegstagen wurde dort schon wieder neu produziert. Um einen schnelleren Aufbau vorantreiben zu können, wurden Daten von Personen gesammelt und neu aufgenommen (um alles schneller zu ordnen, hieß es damals) und zentralisiert.

Jeder Erdteil war mit einer Nummer versehen und nach einem gleichen Ordnungssystem aufgegliedert.

Der Computer spuckte die Daten aus, wer zu was am besten zu gebrauchen war, und nach diesen Gesichtspunkten wurden die vielen offenen Stellen besetzt.

Damit es nicht zu Ausschreitungen kommen konnte, wurde jeder Erdteil in Hunderte von Sektoren unterteilt, die sich über das gesamte Festland zogen. Nur an den Küsten gab es sogenannte freie Gebiete. Dort lebten die höher gestellten Persönlichkeiten, deren Treue zum System man nicht in Zweifel stellte. Alle anderen wurden unter strenger Bewachung in die Sektoren gepfercht.

Nach und nach spielte sich das System ein.

Die Länderverwalter sowie die Gebietsverwalter wurden zentralisiert und in einem riesigen Areal untergebracht, das sich in Mexiko befand.

Von all dem bekam Redsmith herzlich wenig mit. Er merkte nur, wenn er mal wieder an Land kam, daß er immer öfter kontrolliert wurde und daß man ihm immer den freundlichen Rat gab, möglichst bald wieder zu verschwinden.

Also versorgte er sich von da an nur noch zweimal jährlich mit Lebensmitteln und fuhr immer gleich wieder zurück auf seine Insel.

Zwei Jahre später war er aus reiner Neugier doch noch einmal weiter ins Innere des Landes gefahren, wurde aber von der riesigen grauen Sektorenmauer abgehalten, noch weiter vorzudringen.

Als er wieder auf der Insel war, sah er ein, daß er ab jetzt wohl etwas vorsichtiger sein mußte. Man würde ihn sonst ohne langes Zögern in einen der Sektoren stecken.

Er verbarg sein Boot in einer kleinen Bucht, die von allen Seiten zugewachsen war und die vom Meer aus kein Boot erreichen konnte, weil sie durch ein gefährliches Riff geschützt war.

Bisher hatte ihn noch niemand entdeckt, und das war schon sehr beruhigend für den alten Redsmith.

Nachdem der Alte geendet hatte, herrschte eine Weile tiefes Schweigen.

Die drei Männer der SEAGULL sahen sich an. Jeder von ihnen konnte sich denken, was den anderen bewegte.

Sie alle hatten gehofft, daß sie mit ihrer Flucht dem Machtbereich entflohen waren, doch das alles stellte sich jetzt als Trugbild heraus. Sie konnten gar nicht fliehen, weil das System überall war.

»Die ganze Erde wird also beherrscht«, sagte Ludor nachdenklich. Er hatte den Kopf gesenkt.

Der Alte legte eine Hand auf Ludors Schulter.

»Ihr habt geglaubt, durch eure Flucht könntet ihr allem entrinnen?«

Borodin starrte ihn an.

»Woher wissen Sie, daß wir geflohen sind?«

»Man merkt es. Wärt ihr nur auf einem Abenteuerausflug, hätte euch meine Geschichte vielleicht auch interessiert, aber bestimmt nicht so bedrückt.«

Hansson nickte.

»Sie haben recht. Wir haben alle einen recht abenteuerlichen Weg hinter uns.«

Der Alte lächelte verstehend.

»Jetzt wollt ihr hierbleiben?«

Hansson hob die Schultern.

»Keine Ahnung, aber wahrscheinlich wird uns gar nichts anderes übrigbleiben.«

»Ihr seid hier relativ sicher«, sagte der Alte, »und außerdem habe ich euch ... ihr müßt schon entschuldigen, schon seit geraumer Zeit beobachtet. Es wäre schon besser, wenn ihr euer Boot verstecken könntet.«

»Wird die Insel kontrolliert?« fragte Ludor.

»Nicht sehr oft, es sind nur oberflächliche Kontrollen.«

»Und wo sollen wir unser Boot verstecken?« fragte Ludor. »Es ist schließlich nicht so einfach, so ein Ding unsichtbar zu machen.«

Man merkte ihm deutlich an, daß er enttäuscht war.

»Ich kenne eine Stelle auf der Insel, wo ich mein Boot versteckt habe. Dort ist auch eures sicher.«

»Wie groß ist eigentlich die Insel?« wollte Borodin wissen.

Der Alte hob abwehrend die Hand.

»Ich kann es euch nicht genau sagen, aber zur Zeit befindet ihr euch ungefähr in der Mitte. Sie ist fast kreisrund. Ich schätze den Durchmesser auf zehn Kilometer.«

Borodin nahm einen Schluck aus der Kokosnuß.

»Dann würde ich sagen, je früher die SEAGULL in Sicherheit gebracht ist, desto besser sind unsere Chancen, nicht gleich entdeckt zu werden. Und auch unser Lager werden wir nicht wie geplant an der Küste, sondern weiter im Landesinnern aufschlagen.«

Ludor wandte sich wieder an den Alten.

»Werden Sie uns dabei helfen, Thomas?«

Der Alte lächelte und nickte.

»Mit guten Ratschlägen gerne, nur wenn es um harte Arbeit geht, werde ich euch nicht mehr helfen können.«

»So war das auch gar nicht gemeint«, sagte Ludor.

Er erhob sich und sah sich noch einmal in der Hütte um. Erst jetzt sah er, daß die Wände mit Ölbildern behängt waren. Es waren Gemälde von Sonnenuntergängen, von Segelbooten und kleine Landschaftsimpressionen. Doch eines hatten alle Bilder gemeinsam: Sie strahlten einen Freiheitswillen aus, man glaubte förmlich das Leben zu sehen, die Freude am freien Leben und an einer herrlichen Welt.

Der Alte räumte kurz die Hütte auf.

»Am besten, ich gehe gleich mit euch. Dann können wir zusammen mit eurem Boot um die Insel fahren, und ich kann euch durch das Riff lotsen.«

»Haben Sie alle diese Bilder gemalt?« fragte Ludor und deutete auf die Wände.

»Ja, warum? Gefallen sie Ihnen?«

»Ja, sehr sogar. Nach diesen Bildern zu urteilen, müssen Sie ein glücklicher Mensch sein.«

»Sind Sie keiner?« fragte der Alte, während er die leeren Trinkgefäße zur Seite räumte.

»Ich weiß nicht. Bis vor kurzem hätte ich noch geschworen, ich sei der glücklichste Mensch auf Erden. Doch jetzt sieht das Ganze wieder etwas anders aus.«

»Wissen Sie, Claus, solche Anwandlungen gewöhnt man sich im Lauf der Zeit ab. Wenn man weiß, daß man nur noch ein paar Jahre zu leben hat, dankt man für jeden Tag, an dem man in die Sonne blicken, die Wärme spüren, den frischen Wind riechen und die Vögel hören kann. Sie können mir glauben, das Leben ist schön, nur leider viel zu kurz. Die meisten Menschen merken das allerdings viel zu spät.«

Nachdenklich starrte ihn der Alte an.

Dann plötzlich, als wollte er wieder in die Wirklichkeit zurückkehren, schüttelte er den Kopf.

»Machen Sie sich nichts draus! Alte Männer reden manchmal wirres Zeug.«

»Ich finde, das war keineswegs wirr, im Gegenteil. Sie haben wahrscheinlich recht.«

Schweigend brachen sie auf und marschierten zusammen in Richtung Strand.

Der Weg, den Redsmith nahm, war nicht nur viel bequemer, er war auch wesentlich kürzer. Nur knapp anderthalb Stunden später waren sie an ihrem provisorischen Lagerplatz.

Als erstes sahen sie Ellen.

Borodin sah schon von weitem, daß etwas nicht stimmte. Als Ellen näher gekommen war, bemerkte Borodin, daß sie ein regelrecht verquollenes Gesicht hatte. Obwohl es noch ziemlich warm war, trug sie Bluse und Shorts.

Borodin wollte gerade etwas sagen, als Ellen ihm zuvorkam.

»Stefan, ich muß dich sofort sprechen.«

Er folgte ihr.

Ellen zog ihn von den anderen weg. Sie hatte sich noch nicht einmal gewundert, daß sie einen alten Mann mitgebracht hatten.

Kaum standen sie etwas abseits, ließ sich Ellen in seine Arme fallen und begann zu weinen.

»Um Gottes willen, was ist los, Ellen?« fragte Borodin.

»Es ist ... es ist schrecklich, Stefan!« schluchzte sie, ohne ihn anzusehen.

»Was ist schrecklich?« fragte Borodin ahnungslos.

»Monique, wir sind geschwommen ... und dann ...«

»Was war dann?«

»Sie ist tot, Stefan, zerrissen von einem Hai.«

Sie konnte nicht mehr. Borodin fing sie auf.

Er selbst spürte eine leichte Schwäche in den Knien. Was hatte Ellen da eben gesagt? Monique von einem Hai zerrissen? Noch ehe er weiterdenken konnte, sah er, wie Hansson und Ludor angerannt kamen. Sie hatten gesehen, wie Ellen zusammengebrochen war.

»Was ist denn los?« fragte Ludor und sah Borodin an.

Borodin wußte nicht, was er sagen sollte. Was ihm Ellen berichtet hatte, war zu schrecklich, als daß er es Ludor einfach sagen konnte.

Hansson sah sich inzwischen nach Sybille um. Sie stand verlassen unter einer Palme und befand sich in einem ähnlichen Zustand wie Ellen.

Hansson kam auf sie zu und bemerkte, wie sie zitterte. »Was ist denn eigentlich passiert? Erst kippt Ellen um, dann stehst du auch noch da, als wäre der Himmel zusammengebrochen.«

»So etwas ähnliches«, sagte Sybille leise.

Hansson sah sich um. Nirgends konnte er Monique entdecken. Auch Ludor sah sich nach seiner Frau um.

»Wo ist Monique?« fragte er.

Borodin wagte nicht, ihn anzusehen.

Ludor begann umherzugehen. Er sah auf die Decke, auf der Monique immer lag. Sie lag verlassen im Schatten einer Palme.

Er stürzte sich ins Wasser und watete zur SEAGULL.

In der Kombüse lag die kleine Beatrice und schlief.

»Monique!« rief er, als er wieder an Deck kam. Doch er bekam keine Antwort.

Statt dessen kam der Alte auf ihn zu, als er wieder den Strand erreicht hatte.

»Setzen Sie sich, Claus! Borodin hat mir da etwas erzählt, was ich Ihnen sagen muß. Er selbst kann es nicht.«

»Was ist es?« fragte Ludor hastig. »Ist etwas mit Monique?«

Redsmith nickte stumm.

»Ja, Claus. Sie ist tot. Sie ist mit Ellen schwimmen gegangen, und dann kam anscheinend ein Hai und ...«

Redsmith verstummte. Er hatte gesehen, daß ihm Ludor gar nicht mehr zuhörte.

Ludor hatte es tatsächlich nicht mehr gehört. Nur den ersten Satz. *Sie ist tot.* Es war ein Satz, der sich ihm wie ein Pfeil ins Gehirn bohrte. Es gab keinen Zweifel an dem Wahrheitsgehalt dieses Satzes, doch in Ludor brachen mit diesen drei Worten alle Hoffnungen und alle Fröhlichkeit zusammen. Er fühlte, wie sich sein Magen zusammenkrampfte.

»Nein! Nein! Das kann nicht sein! Sag's, du Hund, daß es nicht stimmt!« Ludors Stimme übertönte das Rauschen des Meeres.

Er sprang auf und packte den Alten am Kragen.

»Sag's endlich!«

Ludors Stimme wurde leiser und ging fast unmerklich in ein leises Schluchzen über.

Er ließ den Alten los und drehte sich um.

Leise ging Redsmith fort. Er wußte, daß Ludor jetzt erst einmal allein sein mußte. Dabei konnte ihm niemand helfen.

Ludor ging an den Strand.

Er sah hinaus übers Meer, das so friedlich und ruhig dalag wie sonst. Kleine Wellen schwappten zärtlich auf den weißen Sandstrand. Es war, als wollte sich das Meer bei ihm entschuldigen.

Ludor mußte plötzlich an Professor Levèvre denken. Er hatte gar nicht so unrecht gehabt mit der Feststellung, man lebe nur einmal, und man solle deshalb das Beste daraus machen.

Ludor begann den Tag zu hassen, an dem er sich zur Flucht entschlossen hatte. Monique könnte noch leben, er noch seine Stellung haben und mit ihr ein ruhiges Leben führen. Jetzt, da er wußte, daß das System auch hier war – war nicht alles umsonst gewesen? Warum hatte er sich je auf so etwas eingelassen?

Am nächsten Tag fuhren Redsmith und Hansson die SEAGULL in das Versteck, von dem Redsmith berichtet hatte.

Es lag auf der anderen Seite der Insel. Hätte Redsmith nicht das Ruder in der Hand gehabt, die SEAGULL wäre unweigerlich auf Grund gelaufen.

Hansson nickte anerkennend.

»Das ist wirklich ein ausgezeichnetes Versteck.«

Er sah nach oben. Über ihnen wuchsen langsam die Bäume zusammen, und je tiefer sie in die versteckte Bucht einfuhren, desto dichter wurde das Blätterdach über ihnen.

Der Dschungel hatte sie verschluckt. Seltsamerweise aber hatte die SEAGULL immer noch genügend Wasser unter dem Kiel, um weiterzufahren.

Links und rechts ragten Mangrovenbäume in die Höhe, zwischen denen ein Meer von bunten Blumen und Orchideen ihr betäubendes Parfüm aussandten.

Nach einer weiteren halben Stunde waren sie am Ziel. Im Schatten eines uralten Mangrovenbaums lag die kleine Jacht von Redsmith. Sie sah schon sehr angegriffen aus.

»Ich weiß«, sagte Redsmith, als er Hanssons seltsamen Blick sah, »ich müßte mal wieder etwas an ihr arbeiten. Aber ich bin schon zu alt, und so oft werde ich sie auch nicht mehr brauchen.«

Er machte eine kleine Pause und seufzte.

»Manchmal bin ich froh, wenn ich überhaupt noch irgendwo ein paar Lebensmittel auftreiben kann. Früher konnte ich zum Festland fahren, aber das ist inzwischen zu gefährlich. Ich besorge mir die Sachen meistens auf den Nachbarinseln.«

»Es geht mich zwar nichts an, aber woher haben Sie eigentlich das Geld?« fragte Hansson neugierig.

Der Alte lächelte.

»Ich habe früher einige Bilder verkauft und mir davon etwas zurückgelegt. Davon lebe ich. Viel brauche ich ja sowieso nicht, und eigentlich müßte es für die Tage reichen, die ich noch da bin.«

Sie vertäuten die SEAGULL, und Hansson schlug ein paar schwache Äste ab, um sie ein wenig zu tarnen.

Der Alte winkte ab.

»Das ist nicht nötig. Sie können sich darauf verlassen, daß hier niemand herkommt, wenn ich es nicht will.«

Sie wateten eine Weile durch das versumpfte Wasser, dann hatten sie wieder festes Land unter den Füßen.

»Gibt es hier eigentlich Schlangen oder etwas anderes, was gefährlich werden könnte?« fragte Hansson und blickte sich besorgt um.

»Bisher habe ich noch keine entdeckt«, versicherte der Alte. »Man lebt ziemlich ruhig auf dieser Insel, bis auf ...« Der Alte sah zu Boden.

»Bis auf das Wasser«, fuhr er fort. »Es war unverzeihlich von mir, mich nicht gleich zu melden und euch zu warnen. Monique könnte noch leben.«

»Machen Sie sich keine Vorwürfe!« sagte Hansson. »Sie konnten es auch nicht ahnen, daß die beiden Frauen so unvorsichtig waren und einfach ins Meer hinausschwammen.«

»Man kann es nicht wissen«, entgegnete der Alte. »Das Wasser ist so flach, daß kein Mensch auf die Idee käme, dort Haie zu vermuten. Aber das Tückische daran ist, daß nur dreihundert Meter weiter draußen ein tiefer Graben von zweihundert Meter Tiefe anfängt. Dort ist das ideale Jagdrevier für Haie. Und da verirrt sich schon mal einer in die flachen Gewässer.«

Sie gingen wortlos weiter. Nach einer halben Stunde hatten sie das Blockhaus von Redsmith erreicht.

»Ich werde hierbleiben«, keuchte der Alte. »Für heute habe ich genug. Sie kennen den Weg nach unten ja allein.« Sie verabschiedeten sich kurz, und Hansson machte sich auf den Weg zum Strand.

Auf dem halben Weg kam ihm Borodin entgegen, der den Medikamentenkoffer trug.

»He!« rief er. »Schon wieder da?«

»Alles in Ordnung, Stefan, die SEAGULL liegt sicher wie in Abrahams Schoß.«

»Am besten, du gehst auch gleich runter und bringst noch

etwas mit. Dann haben wir bald die ganze Ausrüstung hier.« Er deutete auf eine kleine Lichtung, die ungefähr fünfzig Meter neben dem Trampelpfad begann.

»Dort könnten wir unser Lager aufschlagen.«

»Die Quelle ist auch dort?« fragte Hansson.

Borodin nickte nur.

»In Ordnung, dann mache ich mich auf den Weg. Viel Zeit haben wir sowieso nicht mehr, es wird schon bald wieder dunkel.«

Bis zum Abend hatten sie die gesamte Ausrüstung der SEAGULL ins Lager geschafft.

Ludor hatte gearbeitet wie ein Pferd. Er hatte für alle provisorische Hütten aus Palmblättern und Lianen gebaut. Sie würden bestimmt für die nächsten Tage halten, bis die ersten Blockhütten fertig waren. Er hatte sich den ganzen Tag über keine Ruhe gegönnt. Denn Ruhe war für ihn gleichbedeutend mit Nachdenken. Und so hoffte er, durch die andauernde Arbeit wenigstens einen Teil der Schmerzen vergessen zu können, die tief in seinem Herzen bohrten. Und das war ihm auch fast gelungen. Am Abend war er todmüde und legte sich gleich nach dem Essen schlafen.

Die anderen saßen noch eine Weile am Lagerfeuer. Ellen hatte sich um Beatrice gekümmert, die noch immer glaubte, ihre Mama sei nur ein wenig mit dem Boot weggefahren.

»Ihr meint, wir können es hier aushalten, für immer?« fragte Borodin in die Runde.

»Warum nicht? Gibt es irgendwo einen Ort, wo wir zufriedener leben könnten als hier?« fragte Ellen zurück.

Der rote Schein des Feuers tauchte ihr Gesicht in ein bronzefarbenes Licht. Die kurzen Haare, die inzwischen von der Sonne noch mehr ausgebleicht waren, warfen kleine dunkle Schatten über ihr Gesicht.

Hansson lehnte sich gemütlich an einen Baumstamm, den er sich so hingerollt hatte, daß er zusammen mit dem Boden eine Art Sessel bildete.

»Ich weiß nicht«, sagte er schließlich, »aber ich habe das Gefühl, daß wir uns nach einer gewissen Zeit ziemlich auf den Wecker gehen werden. Und jetzt, da das mit Monique passiert ist ... im Moment können wir jedenfalls mit Claus nicht rechnen«, fügte er bestimmt hinzu.

»Habt ihr eigentlich Angst, daß sie uns suchen?« fragte Sybille.

»Kann schon sein«, antwortete Hansson gleichgültig, »aber ich weiß nicht, ob man sich die Mühe macht, alles nach uns abzusuchen, nur um uns dann in ein Straflager zu stecken.«

»Du vergißt eins, Claus!« warf Ellen ein. »Er allein ist es schon wert, daß sie sich diese Mühe machen. Hinter ihm werden sie her sein.«

Hansson runzelte die Stirn.

»Du könntest recht behalten. Das habe ich noch nicht bedacht. Es wäre von Claus vielleicht gescheiter gewesen, ihnen die Erfindung zu überlassen. Dann hätten wir wahrscheinlich unsere Ruhe.«

»Und dann würden Hunderte, Tausende von Menschen zu willenlosen Idioten!« sagte Ellen laut.

»Sicher, du hast recht, Ellen, aber wenn Claus es nicht erfunden hätte, dann ein anderer.«

»Trotzdem, ich finde es ganz richtig von Claus, daß er so gehandelt hat.«

Hansson seufzte.

»Na ja. Hoffen wir, daß sie nicht nach uns suchen. Es dürfte ja nicht so einfach sein, alle Inseln abzugrasen.«

Er ahnte nicht, wie sehr er sich irrte.

Bereits zwei Wochen nach Bekanntwerden der Flucht war die Überwachungsaktion angelaufen.

Zwei Aufklärungsflugzeuge, die die jeweilige Position der SEAGULL durchgaben, flogen so hoch, daß man sie von der Erde aus nicht sehen konnte.

Nach drei Wochen hatte die SEAGULL anscheinend ihr

Ziel erreicht und ihr Standort wurde der Sicherheitstruppe des Sektorengebiets vier mitgeteilt.

Man trieb einen ziemlich großen Aufwand, Claus Ludor wieder einzufangen.

Die ST 4 war eine Spezialtruppe, die immer dann eingesetzt wurde, wenn es galt, Aufgaben zu lösen, bei denen andere Leute kläglich versagt hätten.

Derzeitiger Leiter der ST 4 war Ted Romero, ein schlanker schwarzhaariger Mexikaner italienischer Abstammung.

Bereits einen halben Tag, nachdem Romero die Nachricht bekommen hatte, die SEAGULL befände sich auf einer kleinen unbewohnten Insel der Kleinen Antillen, suchte er sich drei Leute aus, die ihm besonders zuverlässig erschienen, ließ sich ein Schnellboot von der Küstenwache geben und stach in See.

»Es ist kein leichter Auftrag«, murmelte er vor sich hin, als er später noch einmal in Ruhe in seiner Kombüse den Einsatzbefehl durchlas.

Er sollte Ludor auf jeden Fall unverletzt gefangennehmen. Die Personen in seiner Begleitung sollten ebenfalls gefangengenommen oder liquidiert werden. Auf jeden Fall war aber die Verhaftung von Ludor am vordringlichsten.

Romero wäre es lieber gewesen, er hätte alle liquidieren können. Gefangene zu machen, war immer eine heikle Sache. Zuviel konnte schiefgehen. Außerdem hatte man mit Toten weniger Arbeit.

Im Schutz der Nacht landete die ST 4 auf Tamoa, der Insel, die bisher Redsmith sein eigen genannt hatte.

Ludor war schon mit den ersten Sonnenstrahlen aufgestanden. Er hatte einen Spaziergang am Strand entlang gemacht. Eigentlich konnte er immer noch nicht glauben, daß er nun allein war, allein mit Beatrice.

Warum war er nicht zu Hause geblieben und hatte Levèvres Ratschlag befolgt? Er hätte dann zwar öfter gegen seinen eigenen Willen entscheiden müssen, aber er hätte in Ruhe mit seiner Familie zusammenleben können. Statt dessen hatte er alles aufgegeben.

Er machte sich Vorwürfe. Hatte er nicht fast allein entschieden zu fliehen? Wäre es nach Monique gegangen, lebten sie vielleicht jetzt noch in ihrem Haus.

Eine weiße Möwe zog hoch oben vor dem strahlend blauen Himmel ihre Bahn.

Ja, die Freiheit war es, die ihn gelockt hatte. Aber er hatte einen hohen Preis dafür zahlen müssen.

»Guten Morgen, Claus, schon so früh auf?« rief eine tiefe Stimme. Es war Borodin.

»Noch nicht so lange«, wehrte Ludor ab. Er setzte sich auf einen Felsbrocken, der einzeln im Sand steckte.

»Weißt du, ich brauche Zeit zum Nachdenken. Es ist nicht nur Moniques Tod, den ich zu verkraften habe. Ich überlege mir, ob es überhaupt richtig war fortzugehen.«

»Das kann dir niemand abnehmen, Claus. Aber wenn du dir Vorwürfe machst, daß du an Moniques Tod mitschuldig bist, dann kannst du mir oder Peter erst recht die Schuld geben. Schließlich waren wir es, die flüchten mußten. Du dagegen hattest die freie Wahl.«

»Schon«, stimmte Ludor zu, »aber du vergißt, daß auch ich meine Gründe hatte. Ich hatte den Entschluß zur Flucht schon gefaßt, bevor ich euch kennenlernte.«

Es herrschte eine Weile Schweigen.

Ab und zu schrie eine Möwe ihren einsamen Ruf. Ein frischer Wind wehte vom Meer her. Ludor fuhr sich durch die Haare.

Plötzlich warf er den Kopf nach oben und sah Borodin an.

»Ich werde versuchen, den Computer zu zerstören, von dem Redsmith gesprochen hat.«

Der Satz klang sehr bestimmt.

»Du bist verrückt, Claus! Entschuldige, aber ich kann nichts anderes dazu sagen.«

Er machte eine kleine Pause und wartete auf Ludors Antwort.

Doch es kam nichts.

»Warum willst du den Computer zerstören?«

»Damit meine Flucht wenigstens noch einen Sinn hat. Meine Flucht ... und Moniques Tod.«

»Aha«, sagte Borodin. »Ich weiß nicht, wie ich an deiner Stelle handeln würde, aber wenn du tatsächlich den Computer zerstören willst, kannst du auch gleich Selbstmord begehen.«

»Vielleicht«, sagte Ludor nachdenklich.

»Jetzt hör endlich auf mit dem Unsinn! Wie willst du das überhaupt schaffen? Wo soll er stehen?«

»In Mexiko, ein paar hundert Kilometer von uns entfernt«, entgegnete Ludor.

»Das vermutest du«, sagte Borodin. »Aber du weißt es nicht. Du weißt überhaupt nichts. Ganz abgesehen davon hast du auch keine Ahnung, wie so ein Ding überhaupt funktioniert.«

»Ich werde es schon schaffen«, sagte Ludor bestimmt.

Borodin schüttelte den Kopf.

»Was du vorhast, ist der reine Wahnsinn. Es ist nicht damit getan, daß du in den sicheren Tod rennst – wenn sie dich lebend erwischen, werden sie dich zwingen, deine Droge neu zu erfinden und unser Versteck bekanntzugeben.«

»Ich werde mich schon nicht erwischen lassen. Und falls wirklich etwas schiefgeht, verrate ich bestimmt nichts. Ich habe nichts mehr zu verlieren.«

»Du bist also tatsächlich fest entschlossen, den Computer zu suchen und zu zerstören?«

Ludor nickte.

»Claus, ich sage dir noch einmal: Du bist wahnsinnig!« Borodin stand auf.

»Der große Claus Ludor! Retter der Menschheit, so stellst du dir das wohl vor!« rief Borodin spöttisch.

»Ich sehe, du verstehst mich nicht. Laß mich bitte in Ruhe.«

Verzweifelt sah Borodin ihn an.

»Entschuldige. Aber ich möchte dir doch nur klarmachen, was du da eigentlich vorhast. Überlege es dir noch einmal in Ruhe!«

»Ich werde es tun. Und nichts kann mich davon abhalten.«

Borodin zuckte mit den Schultern.

»Wie du willst. Aber glaub nicht, daß dir von uns jemand bei diesem Wahnsinn hilft.«

»Habe ich vielleicht mit einem Wort erwähnt, daß mir jemand von euch helfen soll?« schrie Ludor gereizt.

Borodin ging auf ihn zu.

»Es war nicht so gemeint, Claus. Vielleicht hast du recht. Mag sein, daß ich auch so handeln würde, wenn Ellen nicht mehr da wäre. Ich habe dir einmal gesagt, daß ich es dir nie vergesse, daß du mich gerettet hast. Das gilt auch weiterhin. Wenn du möchtest, daß ich mitgehe, können wir heute noch fahren. Das soll aber nicht heißen, daß ich deinen Plan für gut halte. Es ist Wahnsinn.«

»Laß nur!« wehrte Ludor ab. »Ich weiß, daß es fast aussichtslos ist, und ich möchte niemanden in Gefahr bringen. Aber wie gesagt, ich habe nichts mehr zu verlieren. Ich kann mir dann wenigstens nicht vorwerfen, ich hätte nichts versucht.«

Borodin legte ihm die Hand auf die Schulter.

»Gut, Claus! Aber allein kannst du das nicht schaffen. Es wird wohl besser sein, wenn ich mitgehe.«

Ludor schüttelte den Kopf.

»Nein, Stefan, bitte nicht! Ein einzelner kommt vielleicht eher durch. Außerdem kann ich mich immer noch herausreden, daß ich wieder freiwillig gekommen bin, um an meiner Erfindung weiterzuarbeiten.«

Sie gingen zusammen zu den provisorischen Hütten zurück.

Sybille war gerade damit beschäftigt, ein deftiges Frühstück aus Corned Beef zuzubereiten. Es roch herrlich.

Sie setzten sich um die große Steinplatte, die als Herd diente.

Während des Frühstücks sprach niemand von Ludors Plan. Hansson und Sybille machten Pläne für Blockhäuser, für deren Wände heute die ersten Bäume gefällt werden sollten. Gleich nach dem Frühstück gingen Hansson und Borodin auf die Suche nach geeigneten Bäumen, während Ludor Lianen sammeln wollte, mit denen man die Stämme verbinden wollte.

Bevor sie aufgebrochen waren, hatte er Borodin noch gebeten, sich um Ellen und Beatrice zu kümmern, wenn er fort war. Morgen wolle er aufbrechen.

Jetzt aber kämpfte er sich durch das Dickicht, bis er schließlich die ersten geeigneten Lianen fand. Er hieb sie mit dem Messer durch und schnitt sie alle auf eine Länge von einem Meter. Nach einer Stunde hatte er ein Paket zusammen, daß er es gerade noch tragen konnte.

Als er es aufheben wollte, raschelte etwas im Unterholz. Ludor fuhr herum.

Er dachte an eine Schlange oder ein wildes Tier.

Doch er hatte sich getäuscht.

Vor ihm stand – das Maschinengewehr im Anschlag – Ted Romero, der Leiter des ST 4.

»Sie sind Claus Ludor?« fragte er schnell, während er sich vorsichtig nach allen Seiten umsah.

»Ja, der bin ich«, sagte Ludor fest. »Und wer sind Sie?«

»Das geht Sie gar nichts an, Sie Verräterschwein!« fuhr er Ludor an. »Ich komme vom Staatlichen Sicherheitsdienst, falls das einem Subjekt wie Ihnen ein Begriff ist.«

»O ja!« versicherte Ludor höhnisch. »Leider!«

Blitzschnell kam Romero auf ihn zu und versetzte ihm mit dem Gewehrkolben einen Schlag aufs Kinn. Ludor flog nach hinten und landete im Gebüsch. Er war halb bewußtlos.

»Noch eine solche Bemerkung, und du kannst deine Knochen einzeln auflesen.«

Ludor sah ein, daß er besser ruhig war. Er mußte sich fügen, wenn er überhaupt noch eine Chance haben wollte.

»Was haben Sie vor?« fragte er gepreßt und fuhr sich mit der Hand am Kinn entlang. Es schmerzte höllisch.

»Dich mitnehmen, um dich irgendwo langsam krepieren zu lassen!« schrie Romero.

Ludor überlegte, ob dieser Mensch wohl tatsächlich einen solchen Haß gegen ihn fühlte oder ob das seine gebräuchlichen Redewendungen waren, um einen Gefangenen einzuschüchtern.

»Wo stecken deine Kumpane?« fragte Romero leise.

Ludor antwortete nicht gleich. Das war sein Fehler. Ehe er überhaupt noch etwas tun konnte, bekam er einen Tritt in den Magen, daß ihm übel wurde.

»Ich habe gefragt, wo deine Kumpane sind!«

Ludor deutete schwach nach hinten, in die entgegengesetzte Richtung des Lagers.

»Dort, ganz versteckt, mitten im Dschungel, ist unser Lager«, sagte er stöhnend.

Er wußte selbst noch nicht, wie er diese Kerle täuschen konnte.

»Okay, dann steh auf und führ uns hin!«

Ludor stand so schnell wie möglich auf. Noch einmal wollte er deswegen nichts abbekommen.

Anscheinend war es Romero aber immer noch zu lange, denn er gab Ludor einen kräftigen Tritt ins Kreuz. Er stolperte nach vorn.

Gleichzeitig überlegte er fieberhaft. Wie konnte er Romero, so hieß dieser Kerl anscheinend, von den anderen ablenken?

Sie marschierten eine Weile durch den Dschungel.

»Wenn du uns zum Narren halten willst, wird dir das schlecht bekommen!« grölte einer der drei Männer.

»Wir müssen bald da sein. Aber sie sammeln alle gerade Holz und anderes Material für unsere Hütten. Es wird gar niemand da sein.«

Als sie nach einer Viertelstunde immer noch nichts gefunden hatten und Romero langsam am Ende seiner Geduld war, ließ sich Ludor plötzlich fallen.

»Steh auf, du Schwein, oder soll ich nachhelfen?«

Aufs neue versetzte Romero Ludor einen Tritt. Doch dieser regte sich nicht mehr.

Entweder es klappt, oder ich habe Pech gehabt, dachte Ludor, als er das mörderische Ziehen in den Eingeweiden verspürte.

»Soll ich ihm Beine machen, Chef?« fragte ein langer, hagerer Mann, der die MP im Anschlag hielt.

Romero schüttelte den Kopf.

»Nein! Du weißt doch: lebendig!«

Ludor horchte auf. Er hatte also richtig gespielt. Schließlich hatte er noch eine Formel im Kopf: Staatseigentum.

Romero versuchte es noch einmal. Doch Ludor tat keinen Mucks mehr. Er lag wie leblos am Boden. Doch sein Verstand arbeitete auf Hochtouren. Vielleicht hatte er es tatsächlich geschafft, daß Romero die Suche abbrechen ließ.

»Schafft ihn aufs Boot!« sagte Romero voller Ärger. »Ich werde mich noch etwas umsehen. In einer halben Stunde fahren wir ab.«

Die zwei Männer, die die ganze Zeit hinter Romero gegangen waren, hoben Ludor auf und trugen ihn in Richtung Strand.

Romero traute diesem Kerl nicht.

Sollte mich nicht wundern, wenn er nur simuliert, dachte er. Aber was sollte er tun? Wenn er ihn nicht lebendig ablieferte, würde ihn das seinen Job kosten.

Er lief noch einmal den Weg zurück, wo sie Ludor gefunden hatten. Er suchte nach Spuren und fand schließlich ein paar niedergetretene Büsche in entgegengesetzter Richtung zu der, die Ludor angegeben hatte.

»So, du kannst was erleben«, murmelte er vor sich hin. Plötzlich verharrte er. Ihm war so, als hätte er eben ein Kind weinen hören.

Romero folgte dem Ton.

Nach fünf Minuten war er an der Stelle, wo die provisorischen Hütten standen. Sie waren verlassen. Wenigstens in diesem Punkt schien Ludor die Wahrheit gesagt zu haben.

Romero fühlte sich beobachtet. Er sah sich um, konnte aber nichts entdecken.

Plötzlich sah er ein kleines blondes Mädchen in einer der Hütten.

Er ging langsam auf sie zu.

»Guten Tag«, sagte er freundlich, obwohl er eine Riesenwut im Bauch hatte. Auf Ludor und auf sich selbst, daß er reingefallen war.

»Wie heißt du denn?« fragte er leise.

»Beatrice«, sagte sie. Sie kannte den Mann nicht.

Romero lächelte. Beatrice war der Name von Ludors Tochter. 41 würde zufrieden mit ihm sein. Mehr konnte er nicht verlangen. Sicher, es wäre besser gewesen, wenn er die anderen auch noch erwischt hätte, aber dazu war jetzt keine Zeit mehr.

Schließlich wurde die Insel Tag und Nacht überwacht. Fliehen konnte niemand, ohne daß der Sicherheitsdienst es erführe. Also hatte man auch noch Zeit, einen weiteren Besuch folgen zu lassen.

»Kommst du mit mir?« fragte er Beatrice.

»Warum?«

»Dein Papa schickt mich. Er hat mir gesagt, wo du bist, und er möchte, daß ich dich zu ihm bringe.«

»Aber Papa hat gesagt, ich soll nicht weggehen.«

Romero hatte es noch nie gut verstanden, mit Kindern umzugehen. Und außerdem drängte die Zeit.

»Komm schon!« sagte er etwas lauter. »Papa mag es nicht, wenn er auf dich warten muß.«

Als Beatrice noch immer zögerte, versetzte Romero ihr einen Schlag ins Gesicht, packte sie und warf sie sich über den Rücken. Die MP störte ihn zwar etwas, aber schließlich klappte es doch.

Die Kleine schrie wie am Spieß. Doch es half nichts. Romero schleppte sie weg.

Er lief durch den Dschungel, genau auf den Strand zu, wo das Schnellboot auf ihn wartete.

Man hatte Ludor schon unter Deck gebracht und ihm ein Betäubungsmittel gegeben. Man wollte jedes Risiko von vornherein ausschalten.

»Sehr schön«, sagte Romero, »dann weiß er auch nicht, daß wir seine Tochter haben. Das wird uns bestimmt nützlich sein.«

Er kletterte an Bord und ließ sich Beatrice abnehmen. »Steckt sie in eine andere Kabine, und kein Wort zu Ludor!«

Der hagere Mann nickte. Er nahm seinem Chef die Kleine ab und brachte sie unter Deck.

Mit heulenden Motoren schoß das Schnellboot davon.

Der erste, der das Fehlen von Beatrice bemerkte, war Hansson.

Er hatte sich an einer scharfen Baumrinde den Finger aufgerissen und wollte sich ein Pflaster aus der Bordapotheke holen.

Da Beatrice sonst immer gleich neugierig angelaufen kam, um zu sehen, was los war, wunderte es ihn, daß sie sich jetzt nicht blicken ließ.

Hansson rief nach ihr, und als er keine Antwort bekam, suchte er die nähere Umgebung nach ihr ab.

Wenn Beatrice etwas passiert ist, bringt sich Claus um, dachte Hansson. Erst die Frau und dann das Kind!

Er lief schnell zu Borodin zurück, der total erschöpft auf einem der drei Baumstämme saß, die sie schon gefällt hatten.

»Ich kann Beatrice nirgends finden«, keuchte Hansson.

»Ist sie nicht im Lager?« frage Borodin.

»Nein, ich habe überall gesucht.«

»Dann sehen wir doch bei den Frauen nach. Vielleicht ist sie dort«, schlug Borodin vor.

Doch auch bei Ellen und Sybille war Beatrice nicht aufgetaucht.

Sie gingen zusammen zum Lager zurück und suchten.

»Ist euch aufgefallen, daß Claus auch nirgends zu sehen ist?« bemerkte Sybille.

»Stimmt«, sagte Ellen, »wir hätten ihn eigentlich treffen müssen.«

Borodin sprang auf und ging in die Richtung, in der Ludor am frühen Morgen verschwunden war. Nach einer Viertelstunde kehrte er mit einem frischen Bündel Lianen zurück.

»Die lagen so rum. Sie stammen bestimmt von Claus!«

»Aber wo ist er?« fragte Sybille.

Borodin faßte sich an den Kopf.

»Daß ich nicht gleich daran gedacht habe! Ich habe euch ja nichts davon erzählt. Es sollte ein Geheimnis bleiben, zumindest solange Claus sich noch nicht fest entschlossen hatte.«

»Wovon redest du?« fragte Sybille verständnislos.

Borodin erzählte von dem Gespräch, das er am Morgen mit Claus geführt hatte.

Ellen schüttelte den Kopf.

»Ich halte das für total verrückt, aber ich glaube nicht, daß Claus weggefahren ist. Er hätte bestimmt seine Tochter nicht mitgenommen, und warum sollte er erst Lianen schneiden und dann klammheimlich abhauen?«

»Vielleicht dachte er, wir wollten ihn daran hindern, wenn er noch länger wartete.«

»Nein, Peter, ich traue Claus viel zu, aber nicht, daß er Beatrice zu einem solchen Unternehmen mitnimmt.«

Unentschlossen blickten sie sich an.

»Gehen wir also davon aus, daß Claus allein die Insel verlassen hat. Aber wo ist Beatrice?«

»Vielleicht bei Redsmith!« warf Sybille ein.

»Bei mir ist sie auch nicht!« hörten sie eine Stimme. Redsmith kam aus dem Unterholz hervor.

»Bei Ihnen ist sie auch nicht?«

Redsmith schüttelte den Kopf.

»Nein, aber ich kann mir denken, wo beide stecken. Von meinem Aussichtsplatz aus habe ich ein Schnellboot der Küstenwache gesehen. Ich nehme an, die haben Claus und seine Tochter mitgenommen.«

»Das ist ja schrecklich! Aber warum hat man uns nicht auch gesucht?« fragte Ellen.

»Sie waren in Eile. Ihr seid weniger wichtig für sie.«

»Unsere Jacht ist noch da?« fragte Hansson.

Der Alte nickte.

»Ja, ich habe euch doch gesagt, daß dort niemand hinkommt.«

Hansson sah die anderen an.

»Vielleicht haltet ihr mich jetzt für verrückt, aber ich meine, wir müssen Claus helfen.«

»Und wie stellst du dir das vor?« Sybilles Stimme klang bitter. »Sollen wir vielleicht um seine Auslieferung bitten?«

»Nein, wir müssen es geschickt anfangen. Ich weiß nicht, was uns erwartet, aber wir müssen es wagen.«

»Claus hat auch allerhand für uns gewagt«, warf Borodin ein. »Ich denke auch, wir sollten ihn rausholen.«

»Ihr meint, ihr könntet ihn denen wieder entreißen?« fragte Redsmith ungläubig.

Hansson zuckte mit den Schultern.

»Wie gesagt, ich weiß es nicht. Aber wir müssen es versuchen. Wir sind es ihm schuldig.«

»Ich werde euch den Weg so gut wie möglich beschreiben«, sagte der Alte. »Ich war zwar lange nicht mehr dort, aber wenn es noch so ist wie vor ein paar Jahren, wird er wahrscheinlich im Innern des Sektorenzentrums untergebracht sein.«

»Also müssen wir wieder eine Mauer überwinden«, murmelte Hansson vor sich hin. Ihm kamen wieder die schrecklichen Bilder seiner Flucht mit Sybille in den Sinn.

Plötzlich erhob er sich.

»Ich glaube, ich habe eine Idee!«

Die anderen blickten ihn an.

»Dann mal raus mit der Sprache!« sagte Ellen und lächelte. Sie wunderte sich selbst, in welchen Situationen ein Mensch lächeln konnte.

»Wir wissen nicht, wer und ob uns dort überhaupt etwas erwartet«, begann Hansson die Lage zu schildern, »wir wissen auch nicht, wie wir die Mauer, falls es eine gibt, überwinden können.«

Er sah sich fragend um.

»Ja, ja, stimmt alles«, sagte Borodin ungeduldig.

»Gut«, fuhr Hansson fort. »Also müssen wir durch eine List reinkommen.«

»Das ist inzwischen allen klar«, warf Ellen ein.

»Da ich annehme, daß sich der Sicherheitsdienst nicht mit Claus allein begnügen wird, wenn sie schon wissen, daß wir hier sind, können wir davon ausgehen, daß wir irgendwann noch Besuch von den hohen Herren bekommen. Und das ist genau der Zeitpunkt, da wir handeln müssen.«

»Und wie, wenn man fragen darf?« fragte Sybille spöttisch. Sie hatte es inzwischen aufgegeben, an Wunder zu glauben.

»Nun, es wird nicht so einfach sein, aber ich habe es mir folgendermaßen vorgestellt ...«

Sie bastelten zusammen mit Hansson noch bis in die tiefe Nacht an einem Plan. Auch der alte Redsmith konnte wertvolle Tips geben. Schließlich kannte niemand die Insel so gut wie er. Erst als es bereits stockdunkel war und der Mond silbern über den Palmen stand, gingen sie zurück in ihre provisorischen Hütten.

»Es wird sogar verdammt schwer werden«, sagte Hansson leise, während er sich neben Sybille auf das aus Palmblättern geflochtene Bett legte. Es ächzte und stöhnte, als wäre es schon hundert Jahre alt.

An den Bau der Blockhütten war jetzt nicht mehr zu denken.

DRITTES BUCH

Als Ludor die Augen aufschlug, sah er nichts als die weiße Decke über sich. Er versuchte aufzustehen, aber jeder Knochen in seinem Körper schien lose zu sein. Jede Bewegung brannte höllisch. Außer der Liege, auf der er lag, befand sich nichts in dem Zimmer.

Das letzte, woran sich Ludor noch erinnern konnte: daß er von zwei Leuten unter Deck gebracht worden war. Dort mußte man ihm dann eine Spritze mit einem Betäubungsmittel verabreicht haben. Wo aber war er jetzt?

Ein leises Geräusch ließ ihn auffahren. Zunächst glaubte er, seinen Augen nicht trauen zu können. Dann aber, als er die vertraute Stimme hörte, mußte er es glauben. Vor ihm stand kein anderer als Professor Levèvre.

»Hallo, Claus, so sieht man sich wieder!« rief Levèvre und schmunzelte.

Ludor nickte schwach.

»Ja, Professor, und Sie tauchen immer dann auf, wenn man es am wenigsten vermutet.«

»Wie meinen Sie das?«

»Ich denke gerade an unser ›zufälliges Treffen‹ in Eze!«

»Eze Village?« Levèvre zog fragend die Brauen hoch. Doch dann huschte ein Schimmer des Verstehens über sein Gesicht.

»Ja, Claus, das ist schon lange her. Damals gab es noch ein Zurück für Sie. Sie hätten eine große Karriere vor sich gehabt.«

»Ich weiß, Professor. Aber bitte verschonen Sie mich mit Ihren Ansichten!«

»Wie Sie meinen. Ich freue mich auf jeden Fall, Sie wiederzusehen.«

»Das kann ich mir denken«, sagte Ludor bitter.

Levèvre ging auf die Bemerkung nicht ein.

»Es kommt selten vor, daß die Regierung ein unterstelltes Subjekt herkommen läßt. Aber anscheinend sind Sie ein ganz besonderer Fall!«

»Sie sind anscheinend auch ein Treppchen hochgerutscht, Professor!«

Er nickte.

»Ja, und ich möchte Sie gleich darauf aufmerksam machen, daß wir uns hier im Regierungszentrum befinden. Hier können Sie nicht mehr fliehen.«

Ludor sah ihn verständnislos an.

»Jetzt sagen Sie bloß nicht, Sie hätten sich nicht schon wieder einen Plan ausgeheckt, um hier wieder rauszukommen!« sagte Levèvre. »Ich kenne Sie doch!«

»Kann schon sein. Aber wenn es Sie beruhigt, ich bin bisher noch nicht dazu gekommen.«

»Sie sollten Ihre Lage nicht verkennen, Claus. Für das, was Sie getan haben, gibt es keine Entschuldigung. Nicht nur, daß Sie unserem Staat eine Erfindung vorenthalten haben, die von ihm finanziert wurde; Sie haben auch zwei Verbrechern geholfen, mit Ihnen zu fliehen.«

»Im ersten Punkt kann ich Ihnen recht geben, Professor, aber was den zweiten Punkt betrifft, sollte man sich einmal überlegen, wer hier Verbrecher ist und wer nicht!«

Levèvre zuckte ein wenig zusammen.

»Sie dürfen den Unterschied nicht vergessen. Ich habe im Auftrag des Staates gehandelt. Und wie man an Ihrem Beispiel sieht, wäre es besser gewesen, Sie auch gleich umzubringen. Damit hätte ich mir eine Menge Ärger erspart.«

»Statt dessen hat man mich noch befördert! Welch ein Fehlgriff!« sagte Ludor und lachte.

»Ja, Claus, ich habe Sie falsch eingeschätzt.«

Er kam auf ihn zu.

»Ich glaube, wir haben jetzt genug geredet. Ich habe den Auftrag, von Ihnen die Formel für die Droge zu erhalten. Das dürfte ja in diesem Labor, wo Sie arbeiten werden, und bei Ihrer Intelligenz keine größeren Schwierigkeiten bereiten.«

»Sie irren sich, Professor, und wenn Sie mir das beste Labor der Welt zur Verfügung stellen würden ... Ich werde nichts tun, um die Macht dieser Regierung zu stärken.«

»Dann wird es eben ein anderer tun. Sie sind nicht der einzige Wissenschaftler.«

»Aber ich bin bisher der einzige, der es geschafft hat, nicht wahr?«

Levèvre wußte genau, daß Ludor nur zu recht hatte. Noch niemand hatte es geschafft, und Ludor war die einzige Hoffnung.

»Wir werden Sie dazu zwingen, Claus!«

Ludor lächelte selbstbewußt.

»Bitte! Tun Sie, was Sie nicht lassen können.«

»Sie sind sich wohl sehr sicher?« Er sah ihn scharf an. »Ich frage Sie noch einmal: Werden Sie und ein paar Mitarbeiter, die wir Ihnen zur Verfügung stellen, die Droge noch einmal herstellen? Sie haben genau zwei Wochen Zeit. Das reicht Ihnen allemal, wenn Sie sich ein wenig anstrengen.«

Ludor schüttelte den Kopf.

»Nein, Professor. Von mir aus geben Sie mir zwei Sekunden oder zwanzig Jahre. Ich werde nicht mehr auf diesem Gebiet arbeiten.«

»Das ist Ihr letztes Wort?«

Ludor sah an ihm vorbei und sagte nichts. Sicher würde man ihn foltern, und er wußte nicht, ob er das aushalten würde. Aber er würde nichts unversucht lassen, das Geheimnis der Droge zu bewahren.

Levèvre ging an die gegenüberliegende Wand und drückte dort scheinbar wahllos einen Knopf. Hinter zwei elektrischen Schiebetüren erschien ein etwa einen Quadratmeter großer Bildschirm.

»Zellenblock 45 A, bitte!« sagte Levèvre tonlos.

Bald darauf erschien eine ältere, noch gutaussehende Dame in weißem Kittel.

»Doktor Tatjana, bitte zeigen Sie unserem Gast Ihren Patienten.«

Die Kamera wanderte.

Plötzlich stöhnte Ludor auf. Er sah Beatrice. Aber sie saß nicht normal. Man hatte sie auf einem Stuhl festgeschnallt, und um ihre Handgelenke waren stählerne Bänder gespannt.

»Wie kommt meine Tochter hierher?« schrie Ludor außer sich. »Was hat sie mit der Sache zu tun?«

Levèvre lächelte höhnisch. »Ganz einfach, Claus: Sie ist Ihre Tochter ... das genügt.«

Er gab ein kurzes Zeichen zur Kamera hin. Plötzlich zuckte Beatrice zusammen. Ihr kleiner Kopf zuckte hin und her, und Ludor konnte ihr furchtbares Schreien hören.

»Hören Sie endlich auf!« schrie Ludor. Seine Stimme überschlug sich. Er rannte auf Levèvre zu.

Der gab wieder ein Zeichen.

Erschöpft und fast ohnmächtig hing Beatrice in dem Stuhl. »Sehen Sie, es tut mir wirklich leid, daß wir zu solchen Mitteln greifen müssen. Aber Sie wollten es ja nicht anders. Oder?«

Das letzte Wort hatte Levèvre besonders betont.

In Ludor arbeitete es. Er konnte es nicht zulassen, daß man Beatrice quälte. Andererseits fragte er sich, was wohl aus Bea würde, wenn er mit seiner Arbeit fertig war.

»Gut, Professor, Sie haben gewonnen. Wo ist mein Labor?«

»Na, sehen Sie, jetzt werden Sie endlich vernünftig! Ich werde Sie gleich hinführen.«

Sie verließen den Raum und gingen zum Fahrstuhl.

»Sie werden die besten Bedingungen vorfinden, die Sie sich nur wünschen können.«

Ludor hörte nicht auf Levèvre. Er hatte tatsächlich gewonnen. Aber so einfach ließe sich Claus Ludor nicht besiegen. Irgend etwas fiele ihm schon ein. »Es tut mir leid, daß wir uns unter solchen Umständen wiedersehen müssen. Aber Sie sind selbst schuld daran.« Die Fahrstuhltür schloß sich summend.

»Schon gut, Professor«, wehrte Ludor ab. »Aber denken Sie nur nicht, ich würde irgend etwas bereuen, was ich getan habe!«

Seit er Beatrice in dem Stuhl gesehen hatte, wußte er, daß die Flucht nicht umsonst gewesen war. Früher oder später wäre so etwas auch in Frankreich, bei ihm zu Hause, passiert.

»Haben Sie etwas gesagt?«

Ludor schüttelte den Kopf.

»Nein, ich habe nur nachgedacht.«

Er sah Levèvre an. Er wurde nicht schlau aus diesem Menschen.

Sie waren unten angekommen. Leise zischten die Fahrstuhltüren zur Seite.

Auf dem Gang kamen ihnen mehrere Leute mit weißen Kitteln entgegen, vor lauter Diensteifer so beflissen, daß sie anscheinend nichts mehr um sich herum wahrnahmen.

»Das ist das staatliche Zentrallabor«, erklärte Levèvre.

Aus einer Tür, die etwas versteckt auf der Seite lag, trat eine weißgekleidete Frau. Ludor erkannte sie sofort wieder.

Es war die Frau, die auf dem Bildschirm erschienen war, Dr. Tatjana. Ludor spürte einen unwillkürlichen Drang, diese Frau totzuschlagen.

»Ist Beatrice da drin?« fragte er.

»Ja«, sagte Levèvre kurz.

»Darf ich sie sehen?« fragte Ludor leise.

Die Frau war inzwischen an ihnen vorübergegangen, ohne sie zu beachten.

»Noch nicht, vielleicht in einer Woche, wenn Ihre Arbeit Fortschritte gemacht hat.«

Das war deutlich. Ludor mußte arbeiten, doch er würde

sich dabei auch etwas überlegen. Die Frage, die in seinem Gehirn bohrte, war, wie er mit Bea hier herauskommen könnte. Doch dazu mußte er erst einmal die Verhältnisse studieren. Und das wiederum setzte unbedingten Gehorsam voraus. Nur so konnte er weiterkommen. Ludor nahm sich vor, so ziemlich alles zu tun, was man von ihm verlangte. Seine Tochter ging ihm über alles andere. Er hatte nichts mehr, keine Frau, keine Heimat, keinen Besitz. Seine Tochter war der Grund, warum er überhaupt noch etwas tat. Und das wollte er richtig tun.

»So, da sind wir.« Levèvre holte ihn aus seinen Gedanken.

»Sieht ja ganz gut aus«, sagte Ludor und blickte anerkennend umher. Vor ihm lag ein Laborraum, der keine Wünsche offenließ.

Sie machten einen Rundgang.

»Ich schicke Ihnen zehn Mitarbeiter, alles Spezialisten, sie können Ihnen zur Hand gehen.«

»Und sind gleichzeitig eine Garantie, daß ich nicht wieder durchbrenne, ohne dem Staat meine Formel zu hinterlassen«, sagte Ludor.

»Auch das«, gab Levèvre zu, »aber das werden Sie ja verstehen nach den Erfahrungen, die ich mit Ihnen gemacht habe. Aber ich warne Sie. Sie kommen hier niemals raus, ob mit oder ohne Formel.«

»Unmöglich ist gar nichts«, sagte Ludor trotzig.

»Wie Sie meinen – aber vergessen Sie Ihre Tochter nicht.«

Auf der anderen Seite des Labors ging es ins Freie. Es war ein riesiger Palmengarten. Süßer Blütenduft lag in der Luft. In der Mitte des Gartens befand sich ein Swimming-pool. Halb im Schatten der Palmen lagen zwei Mädchen, braungebrannt und mit knappen Bikinis bekleidet. Als Levèvre Ludors Blick bemerkte, legte er ihm die Hand auf die Schulter.

»Das sind zwei von Ihren künftigen Mitarbeiterinnen. Wie Sie sehen, werden Sie bestens versorgt.«

Ludor antwortete nicht.

Sie gingen weiter, bis zum Ende des Palmengartens, wo eine Reihe kleiner flacher Bungalows stand. In einen führte ihn Levèvre hinein.

»Hier werden Sie wohnen. Ich lasse Ihnen die nötige Kleidung bringen, dann können Sie es sich erst einmal gemütlich machen. Und ab morgen werden Sie dann mit der Arbeit beginnen.«

Ludor nickte. »Gut, Professor. Aber woher wissen Sie eigentlich hier so gut Bescheid, wenn Sie nur meinetwegen hergerufen wurden?«

Levèvre stutzte einen Augenblick, doch dann hatte er sich gefangen.

»Ich bin auch nur schnell mit den Örtlichkeiten vertraut gemacht worden, um Sie hier einführen zu können.«

»Sie sind ja rührend um mein Wohlergehen besorgt.«

»Sicher, Sie können sich sogar frei bewegen – innerhalb des Sektors.«

»Fein. Ich frage mich nur, warum man mir hier alles so schmackhaft macht. Genausogut könnten Sie mich auch in irgendein dunkles Loch stecken, wo ich meine Formel finden müßte.«

»Sehen Sie«, sagte Levèvre und blickte auf seinen Chronometer, »das verstehen Sie nicht. Ist es nicht einleuchtend, daß jemand, der sich in seiner Umgebung wohlfühlt, bessere und schnellere Arbeit leisten kann als jemand, der irgendwo unter unzulänglichen Umständen arbeiten muß? Und warum sollten wir es Ihnen nicht angenehm machen? Fliehen können Sie sowieso nicht.«

Er machte eine kleine Pause.

»Jetzt muß ich aber weg, ich werde noch heute abend zurückfliegen. In einer Woche komme ich wieder, dann werden wir weitersehen.«

Sie reichten sich die Hände, wie zwei alte Bekannte.

»Ich werde wiederkommen, Claus, halten Sie sich gut. Und ...«

»Ja, Professor?«

»... und vergessen Sie nicht, das ist vielleicht Ihre letzte Chance!«

Kurz darauf war Levèvre hinter den Palmen verschwunden.

Langsam und in Gedanken versunken ging Ludor zurück zu seinem Bungalow und begann sich einzurichten.

Im Moment hatte es noch gar keinen Wert, irgendwelche konkreten Pläne zu machen. Er mußte abwarten, wie sich alles entwickelte.

Hansson lag im dichten Gras.

Über ihm ragte ein riesiger uralter Baum empor, durch dessen Wipfel sich sanft das Mondlicht einen Weg bahnte.

»Ich hoffe nur, daß sie uns nicht sehen können«, raunte er seinem Nebenmann zu.

Borodin legte den Finger an den Mund.

»Wenn wir uns noch eine Weile so unterhalten«, wisperte er, »werden sie uns nicht nur sehen, sondern auch hören können.«

Schweigend lagen sie nebeneinander und warteten. Sie warteten auf Ted Romero und seine Leute.

Bereits seit zwei Wochen war alles vorbereitet. Man hatte von den drei Punkten, die ein Boot vom Meer aus anlaufen konnte, kleine Trampelpfade angelegt, die sich alle in einem Punkt in der Mitte der Insel trafen. Dort hatte Borodin eine Grube ausgehoben und sie mit starken Ästen, Laub und Moos bedeckt. Wenn alles glattging, mußten die Leute in einer halben Stunde hier sein.

Dann würde sich herausstellen, ob sich die Mühe der letzten Tage gelohnt hatte und ob Hanssons Plan aufging.

Seit zwei Wochen hatten sie darauf gewartet, daß das Schnellboot am Horizont auftauchte. Heute abend war es endlich soweit gewesen.

Hansson hatte das Boot noch eine Weile beobachtet, bis er sicher war, daß es sich um das erwartete Schnellboot handelte, dann hatte er sich zu Borodin gesellt, der schon einige Zeit auf Wachtposten lag.

Langsam näherten sich Schritte. Noch war in der dichten Dunkelheit des Waldes nichts zu erkennen.

Etwas weiter entfernt lagen Sybille und Ellen. Sie sollten helfen, die überrumpelten Männer zu fesseln.

»Hier lang!« rief eine dunkle Stimme. Sie gehörte Ted Romero. Er war seiner Sache ziemlich sicher, daß er die Flüchtlinge in der Nacht leicht überrumpeln konnte. Außerdem brauchte er nicht mehr besonders vorsichtig zu sein. Er konnte eigentlich auf alles schießen lassen, was sich bewegte.

Es schien eine Ewigkeit zu dauern, bis sich Romero und seine zwei Begleiter auf einem der drei Trampelpfade näherten. Plötzlich blieb der vorderste stehen.

Warum zum Teufel bleibt er jetzt stehen? dachte Hansson. Ob er etwas gemerkt hatte?

Borodin starrte nach vorn durch das Gebüsch.

Romero blickte sich vorsichtig um. Er hatte das Gefühl, beobachtet zu werden.

»Wir müssen gleich am Ziel sein«, sagte er bestimmt. »Hier treffen sich die Pfade.«

Er gab seinen Leuten einen Wink.

»Entsichert die Waffen, und dann mir nach! Und ...« Romero erinnerte sich daran, daß er nicht so laut sprechen durfte. »... und ihr wißt: sofort schießen! Wir brauchen keine Rücksicht zu nehmen!«

Romero war weitergegangen, während er seinen Leuten Anweisungen gab. Noch ehe er das letzte Wort richtig ausgesprochen hatte, versank er mit einem leisen Aufschrei in der Grube.

Auch für den Mann, der gleich hinter ihm gegangen war, war es zu spät. Er versuchte zwar noch, sich am Rand festzuhalten, doch dann rutschte auch er hinab.

Borodin sprang aus dem Gebüsch und warf sich mit einem Aufschrei auf den dritten.

Er hieb ihm mit der Faust ins Genick. Wie ein Stein fiel der Mann zu Boden.

Hansson, der zur gleichen Zeit aus dem Gebüsch gerannt war, nahm blitzschnell die Waffe und feuerte eine Salve über die Grube.

»Schmeißt eure Waffen raus!« schrie er.

Es tat sich nichts.

»Ich sage es nicht noch einmal«, wiederholte er.

»Was tun Sie, wenn wir es nicht tun?« kam eine höhnische Stimme aus der Grube.

»Wir werden euch abknallen wie die Hasen! Wir haben nichts mehr zu verlieren.«

Bis auf euer Leben, dachte Romero. Er überlegte fieberhaft. Viel Zeit blieb ihm nicht mehr. Aber er hatte schon ganz andere Situationen gemeistert. Und doch mußte er zugeben, daß er die Flüchtlinge unterschätzt hatte. Nun war es zu spät, sich Vorwürfe zu machen. Er nahm seine MP und warf sie nach oben.

Borodin, der inzwischen den dritten Mann gefesselt hatte, nahm Romeros Waffe.

»Kommt einzeln raus, mit erhobenen Händen!« sagte Borodin und warf die Strickleiter nach unten, die sie von der SEAGULL geholt hatten.

Die Seile spannten sich, und Romero kam nach oben. Hansson hatte die MP genau auf ihn gerichtet.

»Neben die Grube, dann hinlegen!« kommandierte er.

Romero leistete keinen Widerstand. Er wartete auf einen Augenblick, in dem die Aufmerksamkeit nachließ.

Sybille und Ellen, die inzwischen hervorgekommen waren, machten sich daran, Romero zu fesseln. Plötzlich warf sich Romero katzenartig herum und ergriff Ellen.

Unwillkürlich versuchte sie, sich dem Griff zu entwinden. Es gelang ihr auch für einen Moment, den Hansson nutzte.

Er schoß.

Romero kippte zur Seite. Seine Hand war noch in Ellens Arm verkrallt. Noch ehe Ellen sich erholen konnte, krachte ein zweiter Schuß. Ellen sah gerade noch, wie gleichzeitig ein Schatten an ihr vorbeihuschte, dann das gelbe Mündungsfeuer.

Hansson war im gleichen Moment herumgefahren. Er sah, wie der zweite Mann, der unbemerkt aus der Grube gekommen war, in Richtung Ellen zielte. Er hatte auch schon abgedrückt, als Hansson eine Salve schoß, die den Mann ummähte.

Sekunden später war alles ruhig.

Der dritte Mann lag noch immer gefesselt am Boden, Romero war tot, und der Mann, der eben noch geschossen hatte, krümmte sich stumm am Boden.

Ellen blickte fassungslos vor sich. Dort lag Thomas Redsmith. Er war der Schatten gewesen, der sich beim Lösen des Schusses vor sie geworfen hatte.

Sie kniete bei ihm nieder.

Das Gesicht des Alten war von Schmerzen verzerrt. Er blutete stark aus der Brust.

»Schnell, holt Verbandszeug! Wir müssen noch etwas in der Unterkunft haben«, sagte Borodin, der ebenfalls neben dem Alten stand.

Ellen sah ihn entgeistert an. »Er hat mir das Leben gerettet, Stefan«, schluchzte sie.

Sie löste das Hemd von der Haut. Es war eine tiefe Schußwunde.

Borodin sah sie fragend an. Ellen schüttelte nur leicht den Kopf.

Die Kugel mußte ganz nahe am Herzen sitzen. Sie wußte, daß es der alte Mann nicht überstehen würde. Selbst ein junger Mensch hätte kaum eine Chance gehabt.

Das Gesicht des Alten entkrampfte sich plötzlich.

Er schlug die Augen auf.

»Ich fürchte, ich werde es nicht mehr lange machen«, sagte er ruhig.

»Reden Sie nicht solchen Unsinn!« versuchte Ellen ihm zuzureden.

Der Alte schüttelte schwach den Kopf.

»Ich weiß, es geht mit mir zu Ende. Habe ja lange genug gelebt.«

»Kein Mensch kann lange genug leben«, sagte Borodin.

Der Alte lächelte schwach.

»Das mag sein, und ich würde wahrscheinlich viel drum geben, wenn ich noch einmal den Sonnenuntergang im Meer sehen könnte.«

Er blickte hinauf zum Himmel. Er war strahlend blau, wie an so vielen Tagen hier auf der Insel. Bis zum Abend würde er es wohl nicht mehr schaffen.

Inzwischen war Sybille mit dem Verbandsstoff eingetroffen. Ellen versorgte den alten Mann, so gut es ging.

Thomas Redsmith schloß die Augen. Er hatte es nie geglaubt, als man ihm früher erzählte, das Leben zöge kurz vor dem Tod noch einmal an dem Sterbenden vorüber. Doch jetzt sah er sich als kleinen Jungen, der den ganzen Tag spielen durfte, sah sich mit dreckiger, durchlöcherter Hose. Er erinnerte sich an seine erste Liebe, an den Duft der Blumen im Frühling, an die heißen Sommernächte und an das große Feuerwerk, das alljährlich in seiner Heimat im Mittsommer stattgefunden hatte.

Er sah sich als erfolgreichen Maler, als Junggeselle in Acapulco, er dachte an Susan, seine letzte Freundin, bevor er sich auf diese Insel zurückgezogen hatte. Schade, daß sie nicht mitgekommen war. Sicher wäre er dann weniger einsam gewesen.

Er sah die bunten Wälder im Herbst, die nassen, fauligen Blätter auf der Erde und den Nebel in den Tälern.

Er sah die schneebedeckte Landschaft, aus der die Tannen ragten, und die blauweißen Gipfel der Berge, die an Weihnachten immer besonders feierlich am Horizont standen.

Langsam öffnete er die Augen. Es kostete viel Mühe. Ellen hatte sich über ihn gebeugt. Sie trug nur Shorts und ein Bikini-Oberteil.

»Du bist schön braun geworden, ein richtiges Inselmädchen«, sagte er mit Mühe. Jedes Wort tat ihm weh. Ellen nickte nur stumm. Sie versuchte, nicht zu weinen.

»Ich hoffe, ihr könnt auf meiner Insel bleiben. Sie gehört jetzt euch. Ich glaube, ich hätte niemand Besseren finden können als euch. Ihr seid auf dem richtigen Weg. Lebt euer Leben, wie es euch gefällt. Irgendwann werdet ihr auch einmal so daliegen wie ich, und dann ist es zu spät, wenn man sich sagen muß, daß man nichts von seinem Leben gehabt hat.«

Er machte eine lange Pause. Es strengte ihn immer mehr an, die Lippen zu bewegen.

»Ich kann in Ruhe sterben, denn ich habe mein Leben gelebt, wie ich wollte, und nicht wie andere versuchten, es mir vorzuschreiben.«

Während der Alte sprach, hatte sich Ellen abgewandt. Sie weinte laut.

»Sei nicht traurig, Ellen! Du kannst mir glauben, ich habe genug von meinem Leben gehabt. Es gibt da ein altes Sprichwort ...«

Es folgte wieder eine längere Pause.

Dann fuhr der Alte fort: »Es heißt: Jeder Mensch wird als Original geboren – doch die meisten sterben als Kopien.«

Thomas Redsmith schloß die Augen.

Ganz von fern hörte er das Meer, das Rauschen der Palmen im Wind. Es war ihm, als hörte er sie jetzt erst richtig. Die ganze Schönheit dieses ewigen Liedes der Natur. Er roch die frische Luft des Waldes und den Duft der Blüten. Es war ihm ein vertrauter Geruch. Immer ferner wurden die Geräusche, immer leiser das Weinen von Ellen. Dann wurde es dunkel um ihn.

Ellen faltete die Hände des alten Mannes. Sein Gesichtsausdruck war friedlich.

Langsam stand sie auf und trocknete sich die Tränen.

Borodin legte den Arm um sie.

»Ohne ihn wäre ich jetzt wohl tot«, murmelte sie leise und schmiegte sich an Borodin.

Er atmete tief durch. Dann entsann er sich wieder, um was es eigentlich ging. Sie mußten schnell handeln.

»Wir ziehen den dreien die Uniformen aus, und dann nichts wie ab zum Schnellboot!«

»Was machen wir mit Romero?« fragte Ellen.

»Wir werden ihn in die Grube werfen und zuschütten«, sagte Hansson.

Ellen nickte.

»Und was ist mit Thomas?«

Hansson zuckte die Schultern.

»Wir werden ihn bei seiner Hütte auf dem Hügel begraben. Ich glaube, das war sein Lieblingsplatz.«

Nachdem sie die Grube mit Romero zugeschüttet hatten, fesselten sie die anderen beiden noch einmal. Sie durften sich keine Pannen mehr erlauben.

Der Mann, den Hansson angeschossen hatte, wimmerte.

Ellen hatte ihn notdürftig verbunden. Es war ein Steckschuß in der Schulter.

»Stell dich nicht so an! Wenn ich dich getroffen hätte – richtig, meine ich – wärst du sowieso tot. Außerdem hast du Thomas auf dem Gewissen. Man müßte dich eigentlich gleich umbringen«, sagte Hansson angewidert.

Sie banden die beiden an zwei getrennte Bäume. Dann trugen Borodin und Hansson den alten Thomas hinauf zu seiner Hütte.

Nachdem sie ihn begraben hatten, sprach Borodin noch ein kurzes Gebet. Er blickte dabei über das Grab hinweg, genau hinunter zum Meer, in dem sich silbrig die Sonnenstrahlen brachen.

»Ich glaube, er hätte sich selbst keinen besseren Platz aussuchen können«, sagte Borodin leise, nachdem er geendet hatte.

Hansson senkte wortlos den Kopf. Er dachte daran, daß er nie in seinem Leben so viele Tote gesehen hatte wie in den letzten drei Monaten. Zuerst den Sicherheitsbeamten, dann Romero und jetzt den alten Thomas. Und natürlich

Moniques Tod, der ihn am meisten mitgenommen hatte. Das Leben war schon sonderbar.

Als sie wieder nach unten kamen, lagen die drei Uniformen fein säuberlich auf zwei abgerissenen Palmenblättern. Als hätten sie es schon tausendmal geübt, zogen sich Hansson und Borodin um. Niemand sprach ein Wort. Alle kannten den weiteren Plan. Sie nahmen die MPs und gingen mit Ellen und Sybille zum Strand, wo das Schnellboot festgemacht hatte.

Ruhig und scheinbar verlassen lag es in der Bucht.

»He, wir haben sie!« rief Hansson und versuchte, seine Stimme so undeutlich wie möglich klingen zu lassen.

Es war ein gewagtes Spiel. Denn wenn der andere die Stimme als fremd erkannte, würde es noch einmal gefährlich.

Hanssons Herz schlug doppelt so schnell, als durch die Kajütentür ein Mann trat, der ihnen winkte.

»Ihr habt ja bloß die zwei Weiber!« grölte er herüber und deutete auf Ellen und Sybille, die vor den angelegten MPs von Hansson und Borodin hergingen.

Hansson winkte ihnen mit der freien Hand und befahl ihnen, sich aufs Boot zu scheren.

Der Mann, der auf dem Boot zurückgeblieben war, pfiff anerkennend, als er Sybille und Ellen aus der Nähe sah. »Da haben wir ja wenigstens noch etwas Zeitvertreib, bis wir wieder in der ›Stadt‹ sind!«

»Ich würde mich nicht zu früh freuen«, raunte Hansson leise, während er die Ladeklappe des Schnellbootes betrat.

Als er noch ungefähr zehn Meter von dem Mann entfernt war, sprang Ellen beiseite, und Hansson richtete die MP auf den Mann.

»Mach keinen Ärger, und nimm die Flossen hoch!« sagte er rauh.

Der Mann war zu verdutzt, um überhaupt an Gegenwehr zu denken. Borodin fesselte ihn. Seine Uniform lag unberührt in der Kombüse.

Während Ellen und Sybille sich umzogen, gingen Hansson und Borodin noch einmal zurück, um die zwei anderen Gefangenen zu holen. Alle drei bekamen ein Schlafmittel verabreicht, das gute vierundzwanzig Stunden wirken würde.

Als alle drei unter Deck verstaut waren, sahen sich die vier von der SEAGULL an. Ellen prustete los. Sie sahen schon etwas seltsam aus in ihren Uniformen.

Sybille hatte ihre Haare unter die Mütze gesteckt und sich die Augenbrauen stark nachgezogen. Sie sah zwar einem Sicherheitsbeamten etwas ähnlich, aber man konnte unschwer unter dem dicken Uniformtuch ihre weiblichen Formen erkennen.

»Am besten, ihr haltet euch immer im Hintergrund, wenn wir dort sind«, bemerkte Hansson und lächelte.

»Immer müssen wir zurückstecken!« schmollte Sybille und tat so, als wäre sie beleidigt.

Dann lachten sie alle auf.

Es war ein befreiendes Lachen. Sie hatten es sich verdient.

Hansson ließ den Motor an. Er wunderte sich selbst ein wenig, daß bisher alles so gut geklappt hatte.

Ein Ruck lief durch das Boot. Die Motoren heulten kurz auf. Dann schoß das Schnellboot der Küstenwache davon. Hansson schätzte, daß sie ungefähr drei Stunden bis zur ›Stadt‹ brauchen würden.

Schnell wurde die Insel kleiner, und bereits nach einer Viertelstunde war sie nur noch ein grauer Punkt am Horizont.

Die Tage im staatlichen Labor vergingen ruhig. Ludor experimentierte langsam. Er hatte die Formel schon wieder im Kopf, aber er ließ sich Zeit. Noch hatte er zu wenig über seine Umgebung in Erfahrung gebracht.

Nach Feierabend verbrachte er die meiste Zeit mit seinen Kollegen und Kolleginnen am Swimming-pool. Er unter-

162

hielt sich mit ihnen über harmlose Dinge und versuchte dabei, soviel wie möglich über die ›Stadt‹ zu erfahren.

Er lag im Liegestuhl, hatte einen Drink neben sich stehen und beobachtete verträumt die untergehende Sonne.

Neben ihm lag in knappem weißen Bikini die blonde Anja, eine junge Laborhelferin, die, so schien es Ludor, recht vernünftige Ansichten hatte.

Sicherlich, eine freie Meinungsäußerung konnte er unter diesen Umständen nicht von ihr erwarten, aber es war ihm, als hege sie dieselbe Antipathie für die ›Stadt‹ wie er.

Sie hatte bisher wenig von sich erzählt; doch mit dem, was sie von ihm gehört hatte, war sie offenbar einverstanden.

Es gab manchmal Momente, in denen Ludor glaubte, er könne Anja lieben, doch dann kamen wieder der Schatten von Moniques Tod und die Sorge um seine Tochter.

»Was hat man wohl mit mir vor, wenn ich hier fertig bin?« fragte er unvermittelt. Es war eher eine laut gedachte Frage an sich selbst.

Anja räkelte sich genüßlich.

»Man wird Sie vielleicht töten«, sagte sie ruhig.

»Sehr beruhigend, aber ich glaube es auch«, erwiderte Ludor.

»Sie werden nichts dagegen unternehmen?«

»Ich weiß nicht, was ich tun könnte. Warten wir es ab.«

»Eigentlich schade um Sie. Ich meine nicht nur persönlich, sondern auch wegen Ihres Könnens und Wissens. Auch unser allmächtiger Staat hat nicht viele Männer wie Sie!«

»Wahrscheinlich würde es ihn sonst gar nicht mehr geben«, sagte Ludor.

»Sie müssen wohl immer rebellieren, nicht wahr, Claus?« fragte Anja vorwurfsvoll.

»Ich tue nur, wozu ich gezwungen werde.«

»Daß ich nicht lache! Gibt es irgendwo ein schöneres Leben als hier?«

»Sicher«, sagte Ludor bestimmt. »Sie wissen es nur nicht, weil Sie noch nie herausgekommen sind.«

Anja schüttelte den Kopf.

»Das kann nicht sein. Was gibt es woanders, das es hier nicht gibt?«

Ludor räusperte sich.

»Menschen zum Beispiel, freie Menschen«, sagte er.

»Das verstehe ich nicht«, sagte sie und lächelte, »ich bin auch frei.«

»Sie können es nicht verstehen und werden es auch nie verstehen, solange Ihnen die Vergleichsmöglichkeit fehlt, Anja.«

Er sah ein, daß er nicht weitersprechen konnte. Erstens war es zu gefährlich, und zweitens hätte es doch keinen Sinn gehabt. Wie kann man einem Tier, das im Zoo geboren ist, erklären, was Freiheit bedeutet?

»Was hätten Sie eigentlich getan, wenn Sie damals schon gewußt hätten, daß die ganze Erde so regiert wird?« fragte sie plötzlich.

»Nichts, wahrscheinlich wäre ich geblieben. So aber hatte ich die Hoffnung auf Freiheit, auf wirkliche Freiheit.«

»Ohne sich darum zu kümmern, ob die anderen weiterhin im Dreck leben?« fragte sie.

Sie stand auf und ging zum Pool.

Mit einem eleganten Kopfsprung tauchte sie in das kristallklare Wasser. Ludor ging ihr nach.

Sie schwamm ein paar Runden und klammerte sich dann am Rand fest.

»Wie haben Sie das eben gemeint?« fragte Ludor und beugte sich zu ihr hinunter.

Sie schüttelte das Wasser aus den Haaren.

»Ich meinte, Sie sind geflohen, weil Sie Ihre Ruhe haben wollten. Weil Sie nichts tun konnten.«

Ludor nickte.

»Das mag sein. Ich habe an mich gedacht.«

»Das tun die meisten. Und Sie haben mitgeholfen, daß

außer Ihnen auch noch andere Menschen entkommen konnten.«

Sie kletterte über die Leiter aus dem Waser. Dann lief sie zu ihrem Liegestuhl und frottierte sich ab.

»Trocknen Sie mir bitte den Rücken?« fragte sie lächelnd und reichte ihm das Handtuch.

Geistesabwesend begann Ludor, Anja abzufrottieren.

Er hatte es sich wirklich anders vorgestellt, das Leben auf der Insel. Und jetzt? Jetzt war er noch schlimmer dran als vorher.

»Woher kommen Sie eigentlich?« fragte er.

Sie sah ihn erstaunt an.

»Ich bin hier geboren. Wo sollte ich wohl sonst herkommen?«

Ludor zuckte die Achseln.

»Man kann ja nie wissen. Ich bin ja auch hier und bin nicht hier geboren.«

»Sie scheinen wirklich eine Ausnahme zu sein. Es gibt fast niemanden, der nicht hier geboren ist. Es kommt niemand rein oder raus.«

»Kennen Sie einen Professor Levèvre?«

Sie nickte kurz.

»Ja, der ist auch so eine Ausnahme. Er kommt öfter und verschwindet dann wieder für längere Zeit.«

»Und sonst kennen Sie niemanden, der rauskommt?«

Sie schüttelte den Kopf.

»Gefällt es Ihnen hier wirklich, Anja?«

»Natürlich«, sagte sie fest. »Außerhalb dieses Sektors gibt es sowieso nur Schmutz und Verbrechen. Warum sollte ich dann rauswollen? Das wußte ich schon als kleines Mädchen, aber ...«

Sie stockte.

»Was aber?« fragte Ludor.

»Seit Sie hier sind, habe ich so meine Zweifel, daß alle, die draußen leben, Verbrecher sind.«

»Danke«, sagte Ludor.

»Aber ich bleibe trotzdem hier. Ich glaube nicht, daß es woanders schöner sein kann als hier.«

»Wissen Sie, wer die Regierung ist?«

Sie blickte ihn entgeistert an.

»Sie etwa nicht?«

»Wir primitiven Leute wissen so etwas nicht«, sagte Ludor. »Wie gesagt, wir wußten nicht einmal, daß die ganze Erde von ein und derselben Regierung beherrscht wird.«

»Eigentlich unvorstellbar. Vielleicht gibt es doch einen Unterschied.«

Ludor war sich nicht im klaren, wie er Anja einstufen sollte. Sie war wahrscheinlich harmlos. Aber genau wußte er es auch nicht. Sie redete so, weil sie so erzogen worden war. Und wenn er sich vorstellte, daß seine Tochter einmal genauso reden würde ...

»Haben Sie die oberste Regierungsspitze schon einmal gesehen?«

Sie schüttelte den Kopf.

»Nein, niemand, den ich kenne, hat die obersten Fünf schon einmal gesehen. Sie wohnen in dem großen Palast in der Mitte der ›Stadt‹.«

Ludor zog die Brauen hoch.

»Das ist ja interessant. Finden Sie es nicht auch seltsam, daß sich die, die regieren, niemals sehen lassen?«

»Ich weiß nicht. Es ist nun mal so.«

»Wahrscheinlich haben Sie recht, Anja.«

Ludor stand auf. Er hatte vorläufig genug erfahren. »Ich werde jetzt noch ein wenig arbeiten, morgen will ich die ersten Versuche machen.«

»Darf ich dabei sein?« fragte Anja.

»Natürlich, Sie haben mir ja auch bei den grundlegenden Arbeiten geholfen. Da ist es nicht mehr als recht und billig, wenn Sie auch bei den Versuchen dabei sind.«

»Hoffentlich klappt es«, sagte sie.

»Ich hoffe es auch«, antwortete er kurz und trank sein Glas aus.

Dann verschwand er in Richtung des Labors. Er mußte sich bald etwas einfallen lassen. Übermorgen war die Frist verstrichen, die ihm Levèvre gesetzt hatte. Dann würde sich auch entscheiden, was aus ihm und seiner Tochter werden sollte.

Im Labor angekommen, überlegte er es sich anders. Anja hatte ihn neugierig gemacht. Er wollte sich den Palast ansehen, den Regierungssitz. Da es ihm freigestellt war, wo er seine Nächte verbrachte, zog er sich schnell einen Pullover über und ging in Richtung Stadtmitte.

Es waren mehrere Straßen, die ringförmig das Stadtzentrum und den großen Palast umliefen. Von jedem Straßenring führten weitere Straßen sternförmig auf das Regierungsgebäude zu.

Ludor ging langsam und gemütlich.

Ab und zu huschte ein Kabinentaxi an ihm vorbei. Es war schon fast dunkel.

Nur wenige Menschen waren um diese Zeit noch unterwegs. Die meisten saßen in ihren Wohnungen oder lungerten in einer der vielen Bars herum.

Die Straße, auf der Ludor dem Regierungspalast zustrebte, war links und rechts von hohen Palmen gesäumt. Ihre Blätter glitzerten im Licht der Straßenbeleuchtung. Mehr aus dem Unterbewußtsein heraus faßte Ludor ein Blatt an. Er erschrak.

Was er gefühlt hatte, war nicht die feste Haut eines Blattes, die bei stärkerem Druck leicht nachgegeben hätte. Es war etwas Härteres. Wie Plastik. Er fühlte noch einmal. Dann bestand kein Zweifel mehr. Er faßte den Stamm an: Auch der war nicht echt.

Ludor fiel plötzlich ein, daß er sich eigentlich gewundert hatte, daß sich der Rasen nie veränderte, der um den Swimming-pool beim Labor angelegt war. Er schien nicht zu wachsen. Ludor hatte gedacht, er sei besonders gut gepflegt.

Er verließ die Straße und ging auf die Rasenfläche, die neben der Straße angelegt war. Er kniete nieder und faßte das Gras an. Es war trocken und spröde. Kunstrasen.

Wieso aber lag der Duft, dieser Duft von frischem Grün und Blüten, in der Luft?

»Was tun Sie da?« fragte eine dunkle Stimme.

Wie ein kleines Kind, das man bei einem Streich erwischt hatte, erhob sich Ludor.

»Ludor, Claus«, sagte er und erinnerte sich an die Worte Levèvres, der ihm geraten hatte, immer gleich seinen Namen zu nennen, falls er einmal in der Stadt angehalten werden sollte.

»Fein. Ich weiß, Sie sind zu Besuch hier. Aber was tun Sie?«

Erst jetzt erkannte Ludor, daß es ein Mann vom Sicherheitsdienst war. Er trug Uniform.

»Ich habe gerade festgestellt, daß alle Blumen und Bäume aus Kunststoff bestehen. Das war neu für mich.«

Der Uniformierte sah ihn verständnislos an.

»Na, und? Aus was sollen sie sonst bestehen?«

»Gibt es keine echten Blumen mehr?« fragte Ludor.

»Das ist lange her. Früher gab es noch echte Blumen. Man hatte aber nur Ärger damit. Die dauernde Pflege, das Bewässern und dann der Dreck, wenn sie verblüht waren.«

»Da haben Sie recht«, sagte Ludor. Er wollte nicht noch mehr auffallen.

»Aber warum riecht es dann hier so, als wäre dies alles echt?«

»Das sind die Duftstoffe im Innern jeder Pflanze. Sie müssen alle Jahre mal nachgefüllt werden. Das macht zwar auch Arbeit, aber es ist zu verkraften.«

Ludor sah den Uniformierten nachdenklich an. Er konnte jetzt schlecht etwas sagen, was er liebend gerne getan hätte. Statt dessen bedankte er sich freundlich für die Auskunft und wünschte dem Uniformierten einen schönen Abend.

Dieser dankte und setzte seine Streife fort.

Ludor ging weiter. Er sah bereits den großen Palast, der hell erleuchtet war.

»Da ist es also, hier entsteht alles, was die Welt kaputtmacht«, murmelte er leise vor sich hin.

Ludor sah sich um. Er sah zum Glück niemanden.

Er wollte gerade wieder umkehren, als er in einer Nebenstraße ein Neonschild sah. Es trug die Aufschrift: *Zur großen Freiheit.*

Ludor mußte lachen. Das klang ja interessant. Er entschloß sich, die Sache aus der Nähe zu betrachten.

Ludor öffnete die kleine Tür, die knarrend nachgab. Eine Wolke süß duftenden Rauchs kam ihm entgegen.

»Guten Abend«, sagte eine weibliche Stimme. Ludor konnte kaum etwas erkennen, nur schemenhaft sah er, wer ihn begrüßt hatte.

Es war eine vielleicht dreißig Jahre alte Frau mit übermäßig geschminkten Augen und Lippen. Sie hatte lediglich einen knappen Slip an. Ihr üppiger Busen war mit silbernen Sternchen übersät.

»Guten Abend«, sagte Ludor schließlich.

»Womit kann ich Ihnen dienen?« fragte sie, während sie ihren bloßen Busen anhob und ihm entgegenstreckte.

»Was haben Sie denn anzubieten?« fragte Ludor dummerweise.

»So allerhand, mein Herr. Kommt drauf an, was Sie ausgeben wollen.«

Ludor kramte in seiner Hosentasche. Man hatte ihm genügend Geld mitgegeben, damit er sich in der Stadt umsehen konnte.

»Das Beste, was Sie haben«, sagte er forsch und dachte sich, daß er ja schließlich immer noch abspringen könnte.

»Okay, mein Kleiner«, flötete die Dame, »macht zweihundert Dolmas.«

Vierhundert Dolmas hatte man ihm mitgegeben. Das war ein Durchschnittsgehalt für einen Monat.

Er blätterte zwei Scheine auf die Hand der Dame.

»Gehen Sie bitte zu Tisch vierunddreißig. Alles weitere wird auf Sie zukommen.«

Ludor dankte und ging vorsichtig durch den Vorhang, der ihm bisher die Sicht versperrt hatte.

Der Saal, der vor ihm lag, war dunkelrot erleuchtet, und dicke Rauchwolken lagen in der Luft. Nur wenige Tische waren besetzt.

Er suchte die Nummer 34. Der Tisch stand ziemlich nahe an der Bühne.

Ludor setzte sich und wartete.

Gedankenverloren sah er auf die Bühne. Zwei junge gutgebaute Mädchen tanzten dort zu überlauter Musik, die aus den Lautsprechern dröhnte. Sie begannen sich langsam auszuziehen.

Ludor erinnerte sich dumpf, schon öfter gehört zu haben, daß es in den Sektoren solche Lokale gab. Da er jedoch nie in diese Gegenden kommen konnte, kannte er sie auch nicht.

Als die Mädchen splitternackt auf der Bühne standen, kamen zwei junge Männer dazu und begannen, sie zu lieben. Im ersten Moment sah Ludor noch interessiert zu, doch dann begann ihn das Schauspiel abzustoßen.

Aus den Lautsprechern erklang unter Musik ständig der Ruf: »Liebt euch, zeigt eure Gefühle, liebt euch frei und ungebunden!«

Das Publikum grölte.

Nach zehn Minuten verließen alle vier erschöpft die Bühne.

Die Szenerie wechselte.

Auf einer riesigen Leinwand erschien ein Film. Er zeigte Bilder mit blauem Himmel, schneeweißen Stränden und kristallklarem Meer. Ludor wurde an die Insel erinnert.

Dazu ertönte leise, melancholische Musik.

»Stellen Sie sich vor, Sie leben hier, in aller Freiheit, ohne Arbeit, ohne Zwang. Ein Leben wie im Paradies, nicht wahr?«

Die Stimme des Sprechers lag im Raum und hatte die Musik übertönt.

Nun wurde ein herrlicher Sonnenuntergang gezeigt, in Zeitraffer. Dann kam wieder das Bild mit dem Meer und dem Strand. Und wieder hörte Ludor den gleichen Satz: »Stellen Sie sich vor, Sie leben hier ... ein Leben wie im Paradies, nicht wahr?«

Dann kam wieder der Sonnenuntergang. Das ganze wiederholte sich gut zehnmal in einer Viertelstunde. Ludor merkte, wie das Publikum unruhig wurde.

Als der Film dann zum elften Mal ablief, hörte man die ersten Pfiffe.

Dazu ertönte von neuem die Stimme des Sprechers: »Stellen Sie sich vor, Sie leben hier, in aller Freiheit und doch gefangen, ohne Arbeit und Zwang, aber voller Langeweile und Eintönigkeit. Wäre das ein Leben wie im Paradies? O nein, es wäre die Hölle für jeden Bürger dieses Staates. Stellen Sie sich vor, Sie müßten ohne Television, ohne Musik und ohne die anderen Annehmlichkeiten auskommen, die unser Staat allen Menschen bietet! Wäre das noch ein Leben?«

Die Zuschauer applaudierten euphorisch.

»Sehr richtig, wir sind glücklich hier!« rief eine Stimme aus dem Publikum, und andere fielen ein.

»Wir sind glücklich und frei!«

Das Schreien wurde immer lauter. Es brauste über Ludor hinweg.

»Warum rufen Sie nicht mit?« fragte eine Stimme.

Ludor zuckte leicht zusammen. Neben ihn hatte sich ein Mädchen gesetzt. Sie hatte lange dunkelblonde Haare, die ihren bloßen Busen bedeckten.

Sie legte die Hand auf Ludors Hände.

»Ich weiß nicht, ich bin heute nicht in Stimmung«, versuchte sich Ludor herauszureden.

»Das macht nichts«, sagte das Mädchen lächelnd, »dafür bin ich zuständig.«

Ludor lächelte gequält. Er wäre am liebsten aufgestanden und gegangen.

»Wollen wir zusammen lieben?» fragte das Mädchen.

Ludor schüttelte den Kopf.

»Nein, danke. Ich brauche erst Ruhe.«

Enttäuscht sah ihn seine Tischnachbarin an.

»Warum geben Sie dann soviel Geld aus? Nur um hier herumzusitzen?«

»Warum nicht?« sagte Ludor aufgebracht. Er wollte das alles nicht mehr hören. Er bedauerte es zutiefst, überhaupt gekommen zu sein.

»Ich sehe, Sie wollen tatsächlich allein sein. Es liegt aber nicht an mir, wenn Sie unseren Service nicht in Anspruch nehmen wollen.«

»Nein, nein, gewiß nicht. Ich habe einfach keine Lust mehr.«

Wortlos stand das Mädchen auf. Sie warf ihm noch einen verächtlichen Blick zu. Dann verschwand sie hinter dem Vorhang. Abgesehen von den langen Haaren hatte sie nichts angehabt.

Das war also die große Freiheit! Ludor mußte unwillkürlich lachen. Es paßte zu dem Bild, das er sich in den letzten Monaten von diesem Staat, von dieser Welt gemacht hatte. Da saßen die Menschen herum, schwätzten irgendwelches dummes Zeug nach, ohne Sinn und Verstand.

Sie kannten nichts anderes als diese Welt, diesen Sektor, und die Sehnsucht nach etwas anderem, falls sie wirklich jemanden befallen sollte, wurde gleich im Keim erstickt.

Ludor stand auf und verließ das Lokal. Die Empfangsdame warf ihm einen verständnislosen Blick nach.

Während er durch die leeren Straßen zurück zum Labor ging, ständig den Duft der künstlichen Blumen in der Nase, befiel ihn Traurigkeit.

Was konnte er da schon tun? Selbst wenn er es fertigbrächte, die Regierung bloßzustellen, was nützte das schon? Die Menschen, die auf dieser Erde lebten, waren allesamt, bis auf wenige Ausnahmen, schon so verseucht von dem ideologischen Virus, daß es unmöglich wäre, von dieser Seite Unterstützung zu erwarten. Er sah zum Himmel hinauf, wo klar und deutlich die Sterne standen. Die Sterne ... sie waren schon immer da, wie sie vielleicht schon vor hundert Jahren da waren, damals, als man auf dieser Erde noch leben konnte. Jetzt konnte man nur noch dahinvegetieren.

Ludor beschleunigte seine Schritte. Er war bald im Labor. Er ging in seine Wohnung, zog sich aus, duschte und legte sich dann gleich schlafen.

Es war ein trauriger Abend gewesen.

Er hatte die Gewißheit, daß es wohl nie so werden würde, wie es vielleicht früher einmal gewesen war. Es gab kein Zurück. Und die Menschheit merkte nicht, wie sie ständig ihrem Verfall und Untergang entgegenschritt.

Erschöpft schlief er ein.

Am nächsten Morgen kam Professor Levèvre ins Labor. Ludor wollte gerade mit den letzten Tierversuchen beginnen, um hundertprozentig sicher zu sein, daß sein Mittel wirkte.

»Sie kommen gerade recht, Pofessor. Heute vormittag können wir die ersten Versuche starten.«

»Das freut mich, Claus. Werden Sie am Ende doch noch vernünftig?«

Ludor blickte auf. Er legte ein leeres Reagenzglas auf den gekachelten Labortisch.

»Wissen Sie, Professor, manchmal denke ich, Sie hatten ganz recht mit Ihrer Einstellung. Man lebt nur einmal. Und wenn ich daran denke, daß mir diese Flucht nur Unglück gebracht hat ...«

»Sie wären also bereit, weiter für uns zu arbeiten?« Man konnte Levèvre deutlich ansehen, daß er über Ludors Gesinnungswechsel mehr als verwundert war.

»Ich glaube schon«, nickte Ludor. »Aber wie wird man hier darauf reagieren? Schließlich bin ich ja nicht gerade der Gesinnungstreueste.«

»Ich werde mein Bestes versuchen, daß Sie bei uns bleiben können.«

»Und was ist mit meinen Freunden auf der Insel?«

»Ich glaube kaum, daß sie noch dort sind. Unsere Sicherheitstruppe ist bereits vor ein paar Tagen hingefahren, um sie aufzugreifen.«

»Werden sie auch hier leben können?« fragte Ludor scheinbar unberührt, obwohl ihm diese Hiobsbotschaft in die Glieder gefahren war.

Levèvre schüttelte den Kopf.

»Auf gar keinen Fall. Erstens werden sie, wie ich Romero kenne, schon tot sein, und wenn nicht, wird man sie in ein Straflager stecken. Sie sind nicht weiter von Nutzen für unseren Staat.«

»Aha«, machte Ludor und kratzte sich nachdenklich an der Stirn. »Ich bin es aber wohl?«

»Immerhin kann man von Ihnen noch einiges erwarten.«

Ludor kämpfte mit sich selbst, diesem Levèvre nicht ins Gesicht zu schlagen. Er mußte aber vorsichtig sein, wenn sein Plan gelingen sollte.

»Wer wird die erste Versuchsperson sein?« fragte er.

Levèvre hob die Hände.

»Das kann ich nicht sagen. Wahrscheinlich irgendein Gefangener.«

»Von denen haben Sie ja bestimmt genug«, bemerkte Ludor und hätte sich gleichzeitig auf die Zunge beißen können.

»Ja, Claus, und ich hoffe, Sie sehen bald ein, warum das so ist.« Levèvres Ton war schärfer geworden.

Ludor nickte.

»Natürlich, Professor. Aber manchmal bricht eben meine Vergangenheit durch.«

Levèvre ging zum Videophon, das in einer Ecke des Labors stand. Er drückte eine Nummer.

Nach ein paar Sekunden erschien ein Beamter des SSD auf dem kleinen Bildschirm.

»Bringen Sie einen Gefangenen, wir wollen einen Versuch machen!« befahl Levèvre kurz.

Der Beamte bestätigte und schaltete ab.

Einige Minuten später erschien ein kräftig gebauter Mann.

»Das ist er«, stellte der SSD-Beamte den Gefangenen vor. »Hat bereits zwei Morde auf dem Kerbholz.«

»Gut, dann tun Sie mal was!« wandte sich Levèvre an Ludor, während er gleichzeitig dem Beamten ein Zeichen zum Gehen gab.

»Was wird mit meiner Tochter?« fragte Ludor, während er die Spritze aufzog.

»Wenn das Experiment erfolgreich ist, werden Sie mit ihr zusammenleben können.«

»Ich möchte meine Tochter aber jetzt bei mir haben.«

Levèvre stöhnte.

»Sie trauen mir wohl nicht.«

»Das hat damit nichts zu tun. Ich möchte nur, daß meine Tochter schon jetzt bei mir ist.«

Erneut ging Levèvre ans Videophon, wählte die Krankenstation und verlangte, daß man Beatrice sofort ins Labor bringen sollte.

»Danke, Professor«, sagte Ludor aufrichtig.

»Man hätte Sie wirklich gleich töten sollen, nachdem Sie Ihre Erfindung zum ersten Mal gemacht hatten.«

»Das haben Sie mir schon einmal gesagt.«

»Ja, und je länger ich Sie kenne, um so mehr muß ich eingestehen, daß Sie noch immer eine Gefahr sind. Aber ich gehe das Risiko ein, auch wenn es mir später einmal leid tun wird.«

Im gleichen Moment öffnete sich die Tür und Beatrice stürmte herein.

»Papa!« rief sie und lief ihm in die Arme.

»Es ist alles wieder gut, Bea, jetzt bleibst du bei mir.«

Er streichelte ihr Haar, ihr langes braunes Haar, das sie von ihrer Mutter hatte.

»Fangen Sie jetzt endlich an, Ludor! Wir haben nicht all-zuviel Zeit!«

Ludor nickte, setzte Bea auf einen Stuhl, nahm die Spritze und ging auf den Gefangenen zu.

»Werden wir eigentlich beobachtet, Professor?« fragte Ludor.

»Es kann schon sein. Aber ich rate Ihnen auf jeden Fall, saubere Arbeit zu liefern, sonst nützt Ihnen auch mein Schutz nichts mehr.«

Der Gefangene sah Ludor ängstlich an.

»Sie brauchen keine Angst zu haben, es wird nicht weh-tun«, versicherte ihm Ludor.

Er machte den Arm des Mannes frei und setzte die Spritze an. Levèvre kam nahe an ihn heran, um zu sehen, was er tat.

Das war der Moment, auf den Ludor gewartet hatte.

Blitzschnell fixierte er den Arm Levèvres an, faßte ihn am Handgelenk und hieb ihm die Spritze in den Arm. Levèvre stöhnte kurz auf, dann schaute er verwirrt und schien nicht so schnell zu begreifen, was geschehen war.

Ein feiner Blutstreifen rieselte ihm über den Unterarm.

Sicherlich hatte Ludor nicht gerade eine Vene getroffen, aber das Mittel war auch für intramuskuläre Injektionen ge-eignet.

Es würde vielleicht nicht die vollen zwölf Stunden anhal-ten, aber Ludor hoffte, daß zumindest über die Hälfte der Zeit die Wirkung erhalten bliebe.

»Was haben Sie getan, Claus?« fragte Levèvre und blickte verständnislos auf seinen Arm.

»Ich habe Ihnen das Mittel injiziert«, erklärte Ludor völlig überflüssigerweise. »Sie dürfen es selbst ausprobieren!«

Levèvre sagte nichts mehr. Sein Blick wurde starr, dann setzte er sich langsam.

»Heben Sie einmal den Arm, Professor!« sagte Ludor.

Levèvre tat, was ihm gesagt wurde.

Ludor war zufrieden. Er wartete noch eine Weile, dann

ging er zum Videophon und bat um die Sicherheitsabteilung, die den Gefangenen wieder abholen sollte.

Der Mann, der noch immer regungslos dasaß, starrte Ludor ungläubig an. Er verstand nicht, was hier geschehen war. Aber er war froh, daß er alles so gut überstanden hatte. Er hatte es sich anders vorgestellt.

»Du bleibst immer schön hinter mir«, sagte Ludor zu seiner Tochter.

Beatrice sah ihn mit ihren rehbraunen Augen an. Noch immer lagen die Angst und die Qual der letzten Wochen in ihrem Blick.

Ludor blieb einen Moment lang unschlüssig stehen. Dann wandte er sich wieder an Levèvre.

»Professor, Sie werden jetzt den Wachtposten eindeutige Anweisungen geben, daß wir mit Ihnen zusammen das Labor verlassen und zum Regierungsgebäude gehen werden. Dort werden Sie nach einer Audienz bei der obersten Regierung bitten. Weitere Anweisungen werde ich Ihnen dort geben. Haben Sie verstanden?«

Levèvre sah ihn ruhig an. Man konnte unschwer feststellen, daß er nicht mehr sein eigener Herr war, daß sein Wollen praktisch ausgeschaltet war. Seine Augen waren leer und schienen ganz woanders zu sein.

So muß es wohl sein, wenn man seine Seele verloren hat, dachte Ludor.

»Ich habe verstanden, Claus«, sagte Levèvre. Dann stand er auf und ging zur Tür.

Im gleichen Moment trafen zwei SSD-Beamte ein. Sie gingen auf den immer noch regungslos dasitzenden Gefangenen zu und nahmen ihn mit.

»Einen Moment noch, meine Herren!« sagte Levèvre. »Ich möchte, daß Sie die oberste Regierung informieren. Ich werde zusammen mit Herrn Ludor in den Palast gehen. Es ist eine wichtige Angelegenheit.«

Einer der Beamten, offenbar der ranghöhere, zuckte mit den Brauen.

»Ich weiß nicht, Professor, ob das klappen wird. Ich kenne niemanden, der mit der obersten Regierung gesprochen hat, zumindest nicht unter vier Augen, sozusagen.«

»Das macht nichts. Dann sehen Sie hier die ersten beiden.«

Der Beamte hob die Schultern.

»Ganz, wie Sie wünschen«, sagte er. »Ich werde mein Bestes tun.«

Dann verließen sie beide den Raum.

Ungehindert gingen Levèvre und Ludor durch das Labor und marschierten dann in Richtung des Regierungsgebäudes. Die Straßen waren wie leergefegt. Die künstlichen Rasenflächen lagen in der prallen Sonne. Links und rechts der breiten Allee ragten riesige Betonklötze in den Himmel.

Hier und da trafen sie noch ein paar Leute, die in großer Eile an ihnen vorüberhasteten. Niemand beachtete sie; das war Ludor allerdings nur recht.

Nach einer Viertelstunde sahen sie das Gebäude im Herzen der ›Stadt‹. Ludor fand, es hatte etwas Bedrohliches an sich.

Etwa hundert Meter vor dem eigentlichen Eingang hinderte sie ein massiver Drahtverhau am Weitergehen. Nur eine kleine Lücke, die von drei schwerbewaffneten SSD-Beamten bewacht wurde, war zwischen dem dichten Drahtgeflecht offengelassen worden.

Levèvre ging zielsicher auf einen der Beamten zu. Ludor hatte ihm zuvor gesagt, was er tun sollte.

»Ich bin Professor Levèvre, Code 511 und bitte um eine Audienz bei der obersten Regierung.«

Der Beamte sah ihn ungläubig an.

»Sie wollen tatsächlich zur Regierung?«

Levèvre nickte.

»Ja, es ist eine sehr wichtige Angelegenheit!«

Der Beamte ging zu einem kleinen Apparat, der neben ihm an einem Holzpfahl hing. Er wollte gerade abheben, als sich einer der anderen Wachtposten einmischte.

»Du brauchst nicht anzurufen! Kennst du den Professor nicht?«

Der andere schüttelte ungläubig den Kopf.

»Der Professor kann rein. Er ist der einzige, dem das erlaubt ist. Er war schon öfter da.«

Ludor spitzte die Ohren. Das war neu für ihn. Wieso ausgerechnet dieser Levèvre, der doch eine relativ kleine Nummer war? Warum war ausgerechnet er der einzige, der immer Zutritt hatte? Eigentlich paßte es zu ihm. Zu seinem plötzlichen Auftauchen in der ›Stadt‹, zu seiner scheinbaren Allwissenheit. Levèvre mußte mehr sein als nur ein emporgekommener Sektorenverwalter.

»Aber anmelden mußt du ihn trotzdem noch«, sagte der zweite Posten schließlich.

Eine kalte Stimme bestätigte den Besuch. Der Beamte hatte sich im Lauf der Monate daran gewöhnt. Es war immer die gleiche Stimme, egal ob er seine Anweisungen für den täglichen Dienst abholte oder sonst irgend etwas sprach. Immer die gleiche Stimme.

»Sie können reinkommen«, wandte er sich schließlich an Levèvre, »die oberste Regierung erwartet Sie.«

»Ich habe eine Bitte«, sagte Ludor. »Ich werde meine kleine Tochter bei Ihnen lassen, bis ich wieder rauskomme. Ich wäre Ihnen dankbar, wenn Sie auf sie aufpassen könnten.«

Der Posten nickte stumm. Es war heute schon wirklich ein seltsamer Tag. Jetzt sollte er auch noch auf ein Kind aufpassen.

Levèvre und Ludor passierten die Sperre und gingen weiter bis zu dem großen Tor. Kaum hatten sie die unterste Stufe des Aufgangs betreten, öffnete sich das Gebäude, und die Stimme, die sie vorhin durch den kleinen Apparat gehört hatten, forderte sie auf einzutreten.

Ludor fühlte sich plötzlich gar nicht mehr wohl. Was würde ihn jetzt erwarten, konnte er überhaupt etwas erreichen?

Sie durchschritten einen gewaltigen Vorsaal, der mit Marmor ausgelegt war. An den Wänden waren riesige Spiegel angebracht, die hinter dem Glas bunt beleuchtet waren. Ein unwirkliches Bild.

»Was wünschen Sie?« fragte die Stimme, die aus den Wänden zu kommen schien.

»Wir möchten die oberste Regierung sprechen«, sagte Ludor.

»Sie sprechen bereits mit ihr.«

»Ich meine: persönlich«, sagte Ludor.

»Sie tun es. Persönlicher können Sie nicht mit mir sprechen.«

»Warum nicht? Ich sehe mein Gegenüber ganz gern«, sagte Ludor forsch und hoffte, seine Taktik der scheinbaren Unerschrockenheit hätte Erfolg.

»Erstens einmal haben Sie hier gar nichts zu wünschen oder zu verlangen. Sie können von Glück sagen, daß Sie überhaupt noch leben. Und das auch nur, weil es höchst selten – ich möchte sagen: gar nicht – vorkommt, daß ein normaler Sterblicher hier hereinkommt.«

»Das war deutlich«, murmelte Ludor. Was sollte er jetzt tun? Er hatte eigentlich den Plan gehabt, die Regierung zu überlisten, auch wenn es sein eigenes Leben kosten sollte. Aber was konnte man gegen jemanden unternehmen, den man erst nicht zu Gesicht bekam?

»Geben Sie sich bitte keine Mühe, Ludor! Ich weiß alles, und Sie haben keinerlei Aussichten, auch nur das geringste zu unternehmen!«

Ludor zuckte zusammen. Hatte er versehentlich laut gesprochen?

»Nein«, sagte die Stimme, »das haben Sie nicht, aber Sie sollten endlich einsehen, daß Sie hier ein absolutes Nichts sind. Es ist mir auch bekannt, daß 511 unter Ihrem Willen steht. Zu diesem Punkt muß ich noch erwähnen, daß ich Ihnen für die ausgezeichnete Arbeit danken möchte, auch wenn es ziemlich lange gedauert hat. Die Formel ist inzwischen bereits auf dem Weg zu unseren chemischen Großfabriken und wird produziert.«

Ludor sagte nichts mehr. Er hatte alle Hoffnungen begraben, die er jemals gehabt hatte.

Ungerührt sprach die Stimme weiter.

»Sie werden sich sicherlich über einiges wundern. Und da Sie dieses Gebäude sowieso nicht mehr lebend verlassen, werde ich Ihnen jetzt einen kleinen Überblick geben, wie es hier eigentlich aussieht. Vielleicht erstaunt Sie das, aber ich möchte gern Ihre Meinung dazu hören.«

Die Stimme verstummte für einen Moment.

»Übrigens, Levèvre ist mein Enkel, und das ist der Grund, weshalb er hier ein und aus gehen kann, wann er will. Er ist auch der einzige Mensch auf der Welt, der darüber genau Bescheid weiß.«

Levèvre wurde gebeten, hinauszugehen.

»Es ist heute nichts mit ihm anzufangen. Die Wirkung Ihrer Droge ist wirklich gut«, fuhr die Stimme fort.

»Doch ich will nicht abschweifen. Fangen wir am besten von vorn an. Die oberste Regierung gibt es nicht, zumindest nicht in der Form, in der man sie sich vorstellt. Ich allein bin die oberste Regierung, alles andere ist nur psychologisches Theater. Ich lasse alle paar Jahre ein paar Leute herkommen, die angeblich die neue Regierung bilden sollen. Sie werden jedoch alle getötet, sobald sie hier sind. Es sind alles hirnlose Kreaturen, die nur gewohnt sind, auf meinen Befehl hin zu arbeiten.

Ich selbst bin der Mann, der das Computersystem aufgebaut hat, das die ganze Erde umspannt. Und ich selbst habe mein Gehirn von meinem Körper getrennt und es mit einem elektronischen Hirn gekoppelt. So bin ich praktisch unsterblich geworden. Jetzt wissen Sie auch, weshalb Sie mich nicht sehen können. Mein Gehirn ruht in einer Nährflüssigkeit im Zentrum dieses Computers hinter zwei Meter dicken Stahlmauern. Es ist also unmöglich, daß ich jemals zerstört werde. Zumindest solange die Erde existiert.«

Ludor nickte stumm.

»Warum erzählen Sie mir das eigentlich alles?« fragte er.

»Ich möchte Ihre Meinung hören, das ist alles. Ich selbst habe mir schon oft Gedanken gemacht, wie unmenschlich mein System eigentlich ist. Aber Sie können mir glauben, es gibt keine bessere Lösung auf dieser Welt. Die Menschen brauchen einen ständigen Druck. Zuviel Freiheit und zuviel Denken schaden nur. Der Mensch mit seinem natürlichen Aggressionstrieb hat Jahrhunderte hindurch Zeit gehabt, sich dessen klarzuwerden. Doch was war das Ergebnis? Es gab Kriege und nichts als Kriege. Lag man nicht mit einem fremden Land im Krieg, so versuchte bestimmt irgendeine Gruppe, einen nationalen Krieg anzuzetteln. Alle schwafelten davon, wie schön doch der Friede sei, während sie in der Hinterhand schon die nächsten Waffen entwickelten.«

Die Stimme war verstummt. Es schien, als sollte Ludor Zeit bekommen, die Ansichten dieses Individuums zu begreifen.

»Glauben Sie, es ist überhaupt noch menschenwürdig, dieses Dasein, das die Menschen hier führen?« fragte Ludor.

»War es vielleicht früher menschenwürdig, als es noch soviel Freiheit gab? Ich sage nein, denn die Freiheit sollte immer größer werden, und schon kam man mit der Freiheit des Nachbarn in Konflikt. Und die meisten Konflikte wurden nicht friedlich gelöst. Darum hielt ich es für besser, die Aggression der Menschen in künstliche Bahnen zu lenken und somit die Auseinandersetzungen und die Opfer von vornherein kalkulieren zu können, statt dem alles vernichtenden Trieb der Menschen freie Bahn zu lassen.«

»Und Sie glauben, das bleibe ewig so?«

»Wer sollte es ändern? Sie sehen ja selbst, wie zwecklos, wie dumm alles wäre.«

Ludor sah sich in den großen Spiegeln, die an den Wänden hingen. Er sah alt aus. Unrasiert, ein wilder Haarwuchs, den er seit seiner Abreise nur selten gebändigt hatte. Die

Augen waren eingefallen, vielleicht von Trauer, vielleicht auch nur von der Erschöpfung, die er plötzlich zu spüren begann. Es kam ihm vor, als hätte er seit Moniques Tod nicht mehr geschlafen.

»Bitte gehen Sie in das Zimmer rechts von Ihnen!« sagte die Stimme.

Ludor zuckte zusammen. Er sah auf die goldbeschlagene Tür, die sich auf der rechten Seite langsam auftat. Eine lederne Couch war in dem ansonsten leeren Raum aufgestellt. Die Stimme war verstummt, und der Raum verdunkelte sich. Ludor legte sich auf die Couch und stellte sich die Lehne zurecht.

Leise erklang Musik. Es war keine neue, elektronische Musik, es waren auch keine Schlagerrhythmen. Er wußte nicht, was es war, aber es klang beruhigend.

Rings um ihn erschien plötzlich eine Frühlingslandschaft, Vögel flogen, Bäume rauschten, und saftiges Gras wiegte sich leise im Wind. Dann sprang das Bild um. Er sah das Meer, die untergehende Sonne, und am goldenen Strand stand ein Paar engumschlungen. Der Ausschnitt wurde vergrößert, und Ludor erkannte plötzlich, daß er es selbst war, der da am Strand stand. Und in seinen Armen lag Monique. Er rieb sich die Augen, doch dann mußte er es glauben. Er selbst war es, der hier im Film zu sehen war, und die Stelle, an der das aufgenommen worden war, mußte in Frankreich sein.

»O Gott!« stöhnte Ludor. »Warum kann das alles nicht mehr so sein?«

Er wälzte sich auf der Couch. So merkte er auch nicht den kleinen Stich im Oberarm, mit dem ihm blitzschnell Gift eingespritzt wurde. Diese Apparatur war schon immer in der Liege eingebaut gewesen. Schon viele Hunderte waren hier umgekommen, und keiner hatte es gemerkt. Auch Ludor merkte nicht, daß das Gift bereits seine Wirkung tat. Er wurde zwar immer müder, aber es war eine angenehme Müdigkeit.

Er sah auf den Film, genoß die Bilder und schwelgte in Erinnerungen. Erinnerungen an die unvergeßlichen Stunden mit seiner Frau, mit seiner Familie, mit Rolf und Ellen. Er dachte an sein Boot, an seinen Wagen, an sein Haus, an die schönen, luxuriösen Dinge, die er aufgegeben hatte, um vor der totalen Bevormundung zu fliehen.

Langsam wurde es dunkel um ihn. Sein Gesicht zeigte lächelnde Züge, als die Lehne langsam nach hinten klappte und Ludors Leichnam in einer Klappe im Boden versank. Die Energie, die sein Körper bei der Verbrennung abgab, würde dem Computer wieder für einige Sekunden Strom liefern.

EPILOG

Zwanzig Jahre danach ...
Vierzig Jahre danach ...

Ein Mann und eine Frau saßen ruhig vor ihrem Haus und beobachteten die Arbeiter, die noch jetzt, als die Sonne bereits am Horizont versank, eine riesige graue Mauer hochzogen. Sie waren gut vorangekommen in den letzten Tagen. Die Hälfte der Insel war bereits eingemauert.

Der Mann schüttelte den Kopf. Er hatte nur noch wenig Haare. Es fiel ihm lang und weißgrau auf die Schultern. Auch die einstmals blonden Haare seiner Frau waren inzwischen ergraut. Über zwanzig Jahre hatten sie nun auf dieser Insel verbracht, zwanzig Jahre voller Glück und Freiheit, genau wie es ihnen der alte Redsmith einst prophezeit hatte.

Und nun war es soweit. Auch ihre Insel wurde zivilisiert.

»Wieder ein Paradies weniger«, murmelte Borodin und legte den Arm um Ellen.

»Wie viele wird es wohl noch geben, die so leben wie wir?« fragte er nachdenklich.

Ellen lächelte. Sie war jetzt schon an die Siebzig. Ihre Haut war braun und zeigte viele Falten. Doch Borodin fand sie immer noch schön. Für ihn war Ellen die schönste Frau der Welt.

»Es wird bald keine mehr geben«, sagte Ellen. Sie beobachtete die Arbeiter, die nun endlich aufhörten, Stein an Stein zu setzen, und somit die Anwesenheit von der Herrschaft des Computers darstellten.

Sie erinnerte sich auch nur dunkel an den Versuch, Claus zu befreien. Er schlug ebenso fehl wie das Unterfangen, seine Tochter freizubekommen. Sie arbeitete jetzt bestimmt irgendwo in der ›Stadt‹ und wußte nichts mehr von ihrem Vater, der alles aufs Spiel gesetzt hatte, nur um seine Freiheit zu bekommen. Aber er hatte verloren. Genau wie Hansson und Sybille, die wahrscheinlich in irgendeinem Straflager geendet hatten.

»Es ist schon seltsam«, sagte Borodin, »wenn man sich überlegt, daß wir vielleicht die letzten Menschen sind, die die Welt noch als ein freies, unendlich schönes Land erleben durften ...«

Ellen nickte stumm. Es machte sie traurig. Der Gedanke, daß es nie mehr eine Erde geben würde, wie sie einmal war, daß kein Mensch mehr so fühlen konnte, wie sie gefühlt hatten. Und auch der Gedanke, daß sie ihre letzten Tage hinter Mauern verbringen mußten wie alle anderen. Sie hatten ebenfalls verloren, auch wenn es ziemlich lange gedauert hatte.

Die Sonne war schon fast verschwunden. Nur noch ein goldroter Streifen war am Horizont zu sehen.

»Solange wir die Sonne noch untergehen sehen, wird es schon zu ertragen sein«, sagte Borodin, als hätte er Ellens Gedanken erraten.

»Bald wird die Mauer höher sein«, sagte Ellen.

»Dann gehen wir zu dem Platz, wo der alte Redsmith liegt. Von dort aus wird sie wohl immer zu sehen sein. Es gibt Dinge, die kann man nicht einsperren. Auch ein Computer kann das nicht.«

Sie schauten auf den roten Schimmer, der immer dunkler wurde.

Und beiden schien es, als wollte sich die Sonne, angeekelt von dieser Welt, für immer verabschieden. Jedoch nicht, ohne vorher noch einmal zu zeigen, wie schön eine freie Welt sein konnte.

HEYNE
SCIENCE FICTION

HEYNE BÜCHER

Romane und Erzählungen deutscher SF-Autoren im Heyne-Taschenbuch.

CHRISTOF SCHADE
Der genetische Krieg

06/4229 - DM 7,80

MARGRET KÄSBAUER
Der Ruf der Götter

06/4068 - DM 5,80

DIETER KÖNIG
Feuer blumen

06/3947 - DM 4,80

NORBERT LOACKER
Aipotu

06/4123 - DM 5,80

Internationale Science Fiction Stories herausgegeben von
WOLFGANG JESCHKE
DAS DIGITALE DACHAU

06/4161 - DM 9,80

CARL AMERY
An den Feuern der Leyermark

06/3835 - DM 6,80

MIK ORT
Zurück in die Steinzeit

06/4117 - DM 6,80

THOMAS R.P. MIELKE
Das Sakriversum

06/3997 - DM 9,80

HEYNE FANTASY

*Romane
und Erzählungen
internationaler
Fantasy-Autoren
im Heyne-
Taschenbuch.*

C.J.Cherryh
**Tore
ins Chaos**
Der Morgaine-Zyklus

06/4204 - DM 12,80

C.J.Cherryh
**Stein
der Träume**
Roman

06/4231 - DM 6,80

Stephen R.
Donaldson
DAS VERWUNDETE
LAND
Thomas Covenant der Zweifler
Erstes Roman des Zweiten Zyklus
FANTASY

06/4108 - DM 12,80

Stephen R.
Donaldson
DER EINSAME
BAUM
Thomas Covenant der Zweifler
Zweiter Roman des Zweiten Zyklus
FANTASY

06/4109 - DM 12,80

Stephen R.
Donaldson
TOCHTER DER
KÖNIGE
Die schönsten Erzählungen
des Autors von
»Thomas Covenant der Zweifler«
FANTASY

06/4225 - DM 9,80

ELIZABETH A.LYNN
**Die Zwing-
feste**
FANTASY

06/3955 - DM 6,80

ELIZABETH A.LYNN
**Die Tänzer
von Arun**

06/3956 - DM 7,80

ELIZABETH A.LYNN
**Die Frau aus
dem Norden**

06/3957 - DM 9,80

HEYNE
SCIENCE FICTION

Wissen Sie, wer George Washington erschoß?

Nein? – Dann lesen Sie L. Neil Smith' Zyklus vom „Gallatin-Universum"!

L. Neil Smith, ein neuer Star auf der amerikanischen SF-Szene. Durch seinen munteren, fröhlich-frechen Stil, seine anarchistische Kaltschnäuzigkeit und ein Feuerwerk von Ideen hat er frischen Wind in die amerikanische Science Fiction gebracht.

Weitere Bände sind in Vorbereitung.

L. NEIL SMITH
DER VENUS-GÜRTEL
Zweiter Roman des Lamviin-Zyklus
SCIENCE FICTION

◁ 06/4251 - DM 6,80

L. NEIL SMITH
DER DURCH-BRUCH
...ter Roman ...viin-Zyklus
...NCE FICTION

L. NEIL SMITH
DER NAGASAKI-VEKTOR
Vierter Roman des Lamviin-Zyklus
SCIENCE FICTION

L. NEIL SMITH
IHRER MAJESTÄTEN KÜBELIERE
Dritter Roman des Lamviin-Zyklus
SCIENCE FICTION

△ 06/4250 - DM 7,80

△ 06/4253 - DM 6,80

◁ 06/4252 - DM 6,80

Preisänderungen vorbehalten.

Wilhelm Heyne Verlag München

BIBLIOTHEK DER SCIENCE FICTION LITERATUR

HELLICONIA: Eine der großen SF-Sagas im klassischen Stil

HELLICONIA: Das Science Fiction-Ereignis der achtziger Jahre

HELLICONIA: Ausgezeichnet mit dem Kurd Laßwitz-Preis als bester ausländischer SF-Roman des Jahres

06/50 - DM 12,80

06/52 - DM 14,80

06/51 - DM 14,80

Wilhelm Heyne Verlag München

HEYNE BÜCHER

HEYNE
SCIENCE FICTION
AUS DEUTSCHLAND

11 herausragende Romane und Erzählungen 12 deutscher SF-Autoren von internationalem Rang, von den Autoren selbst ausgewählt, in einer preiswerten Sonderausgabe.

Heyne Science Fiction 06/4235
800 Seiten,
zum Sonderpreis DM 12,80

Das Auge des Phönix

Science Fiction aus Deutschland

Georg Zauner   Carl Amery
Dieter Hasselblatt   Herbert W. Franke
Reinmar Cunis   Wolfgang Jeschke
Thomas R. P. Mielke   Joern J. Bambeck
Hans Joachim Alpers   Ronald M. Hahn
Horst Pukallus   Karl Michael Armer

Sonderausgabe
Elf Romane und Erzählungen zwölf
prominenter deutscher SF-Autoren

Wilhelm Heyne Verlag München

Heyne Taschenbücher.
Das große Programm von Spannung bis Wissen.

Allgemeine Reihe mit großen Romanen und Erzählungen berühmter Autoren	**Heyne Biographien**	**Blaue Krimis/ Crime Classics**
	Heyne Lyrik	**Romantic Thriller**
	Heyne Ratgeber	**Exquisit Bücher**
Heyne Sachbuch	**Heyne-Kochbücher**	**Heyne Science Fiction**
Heyne Report	**Kompaktwissen**	**Heyne Fantasy**
Scene	**Heyne Computer Bücher**	**Bibliothek der SF-Literatur**
Heyne Ex Libris	**Der große Liebesroman**	**Die Unheimlichen Bücher**
Heyne Filmbibliothek	**Heyne Western**	

Jeden Monat erscheinen mehr als 40 neue Titel.

**Ausführlich informiert Sie das Gesamtverzeichnis der Heyne-Taschenbücher.
Bitte mit diesem Coupon oder mit Postkarte anfordern.**

Senden Sie mir bitte kostenlos das neue Gesamtverzeichnis

Name

Straße

PLZ/Ort

**An den Wilhelm Heyne Verlag
Postfach 20 12 04 · 8000 München 2**